改訂
土・肥料 及び 作業法

独立行政法人　高齢・障害・求職者雇用支援機構
職業能力開発総合大学校　基盤整備センター　編

【土壌断面】

黒ボク土断面

赤土断面

【土・肥料】

鹿沼土　　　　　　　　　　富士砂

バーミキュライト　　　　　パーライト

ゼオライト　　　　　　　　ピートモス

尿　素

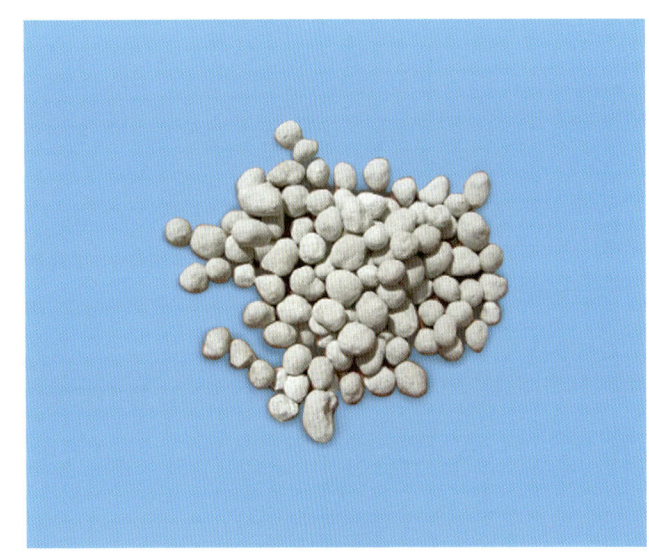

化 成 肥 料

貝化石肥料

愛知牛ふんたい肥

魚 か す

油 か す

【落葉によるたい肥の作成】

落葉熟成途中①

落葉熟成途中②

落葉熟成途中③

落葉熟成途中④

たい肥（落葉熟成）完了

は　し　が　き

　本書は職業能力開発促進法に定める普通職業訓練に関する基準に準拠し，「園芸サービス系」系基礎学科「土及び肥料」のための教科書として作成したものです。

　作成に当たっては，内容の記述をできるだけ平易にし，専門知識を系統的に学習できるように構成してあります。

　本書は職業能力開発施設での教材としての活用や、さらに広く園芸サービス分野の知識・技能の習得を志す人々にも活用していただければ幸いです。

　なお，本書は次の方々のご協力により作成したもので，その労に対して深く謝意を表します。

＜監修委員＞

　　後　藤　逸　男　　　東京農業大学

＜改定執筆委員＞（五十音順）

　　杉　田　　　収　　　元東京都立 園芸高等学校

　　吉　田　敏　雄　　　東京都立 多摩職業能力開発センター

　　　　　　　　　　　（委員名は五十音順，所属は執筆当時のものです。）

平成23年3月

独立行政法人　高齢・障害・求職者雇用支援機構
職業能力開発総合大学校　基盤整備センター

目　　次

第1章　土 ……………………………………………………………………… 1
第1節　土の生成 ……………………………………………………………… 1
　1.1　物理的風化 ………………………………………………………………… 1
　1.2　化学的風化 ………………………………………………………………… 2
　1.3　土　層 ……………………………………………………………………… 2
　1.4　土の組成 …………………………………………………………………… 3
　　(1)　粘　土 …………………………………………………………………… 3
　　(2)　水 ………………………………………………………………………… 5
　　(3)　空　気 …………………………………………………………………… 5
　　(4)　腐　植 …………………………………………………………………… 5
　　(5)　土中の微生物 …………………………………………………………… 6
　　(6)　窒素の循環 ……………………………………………………………… 8
第2節　土の種類 …………………………………………………………… 10
　2.1　褐色森林土 ……………………………………………………………… 10
　2.2　黒ボク土 ………………………………………………………………… 10
　2.3　赤色土 …………………………………………………………………… 10
　2.4　低地土 …………………………………………………………………… 10
　2.5　その他 …………………………………………………………………… 10
　　訓練課題（簡易土壌診断調査） ……………………………………………… 11
　　訓練課題（簡易土壌分析キット実験） ……………………………………… 13
第3節　土の性質 …………………………………………………………… 15
　　(1)　物理的な性質 …………………………………………………………… 15
　　(2)　化学的な性質 …………………………………………………………… 16
　　(3)　生物的な性質 …………………………………………………………… 16
　　訓練課題（土の粒径分析） …………………………………………………… 17
学習のまとめ ………………………………………………………………… 21

第2章　土と植物 ……………………………………………………………… 23
第1節　土の構造 …………………………………………………………… 23
　1.1　単粒構造 ………………………………………………………………… 23
　1.2　団粒構造 ………………………………………………………………… 24

| 1.3　団粒化させる方法 | 24 |

訓練課題（土の容水量測定） ……………………………………………………… 25

第2節　土の酸性と植物 …………………………………………………………… 28

訓練課題（pHメーターによる土壌の酸性度調査） …………………………… 29

第3節　土の改良 …………………………………………………………………… 30

3.1　土壌化学性の改良 …………………………………………………………… 30

（1）酸性の改良 ……………………………………………………………………… 30

（2）土の保肥力の改良 ……………………………………………………………… 30

3.2　土壌物理性の改良 …………………………………………………………… 30

（1）土 ………………………………………………………………………………… 31

（2）有機質の土壌改良資材 ………………………………………………………… 31

（3）無機質の土壌改良資材 ………………………………………………………… 31

（4）侵食防止 ………………………………………………………………………… 31

（5）かんがい（灌漑） ……………………………………………………………… 31

（6）客土（きゃくど） ……………………………………………………………… 32

（7）合成高分子化合物 ……………………………………………………………… 32

（8）庭園の土の改良 ………………………………………………………………… 32

3.3　土壌生物性の改良 …………………………………………………………… 32

訓練課題（粘土の役割・水の浄化） ……………………………………………… 34

訓練課題（粘土の役割・養分の貯蔵庫） ………………………………………… 35

訓練課題（土壌改良材の比較） …………………………………………………… 36

学習のまとめ ………………………………………………………………………… 40

第3章　肥料 ………………………………………………………………………… 41

第1節　肥料と植物 ………………………………………………………………… 41

1.1　化学成分と元素 ……………………………………………………………… 42

（1）化学成分 ………………………………………………………………………… 42

（2）元　素 …………………………………………………………………………… 42

1.2　天然養分 ……………………………………………………………………… 43

（1）土からの供給 …………………………………………………………………… 43

（2）かんがい水からの供給 ………………………………………………………… 43

（3）雨水，大気からの供給 ………………………………………………………… 43

（4）可給態と不可給態 ……………………………………………………………… 44

1.3	養分吸収のしくみ	45
(1)	選択吸収	45
(2)	接触交換説	45
(3)	葉による養分吸収	45
1.4	最少養分律	46
1.5	収量漸減（しゅうりょうぜんげん）の法則	47
1.6	養分吸収の環境	47
(1)	空気の影響	47
(2)	光の影響	47
(3)	温度の影響	47
(4)	pHの影響	47
第2節	三要素	48
2.1	窒素（葉肥）	48
2.2	リン酸（リン）（実肥）	48
2.3	カリ（カリウム）（葉肥，実肥，全体肥）	48
第3節	三要素以外の要素	49
3.1	カルシウム（石灰）	49
3.2	マグネシウム（苦土）	49
3.3	イオウ	49
3.4	マンガン	49
3.5	鉄・銅・モリブデン	49
第4節	肥料の種類	50
4.1	普通肥料	50
(1)	窒素質肥料	50
(2)	リン酸質肥料	55
(3)	カリ質肥料	57
(4)	有機質肥料	60
(5)	石灰質肥料	62
(6)	ケイ酸質肥料	63
(7)	苦土肥料	63
(8)	微量要素肥料	64
(9)	複合肥料	65
4.2	緩効性普通肥料	69
(1)	被覆肥料	69

（2）化学合成緩効性肥料 ……………………………………………………………… 70
　　　（3）硝化抑制剤入り化成肥料 …………………………………………………………… 70
　　4.3　特殊肥料 ……………………………………………………………………………… 71
　　　（1）たい肥 ………………………………………………………………………………… 71
　　　（2）家畜ふんたい肥 ……………………………………………………………………… 71
　　　（3）バークたい肥 ………………………………………………………………………… 71
　　4.4　その他の肥料 ………………………………………………………………………… 71
　　　（1）緑肥 …………………………………………………………………………………… 71
　　　訓練課題（副成分の検出） ……………………………………………………………… 73

第5節　施　肥 ……………………………………………………………………………………… 76
　　5.1　施肥時期 ……………………………………………………………………………… 76
　　　（1）元肥の種類 …………………………………………………………………………… 77
　　　（2）追肥の種類〈例：イネの場合〉 …………………………………………………… 77
　　5.2　施肥の方法 …………………………………………………………………………… 77
　　　訓練課題（花鉢，庭園，樹木への施肥方法） ………………………………………… 82

学習のまとめ ……………………………………………………………………………………… 85

第4章　実　習 ……………………………………………………………………………………… 87
　　訓練課題（たい肥づくり） ……………………………………………………………… 88
　　訓練課題（配合肥料） …………………………………………………………………… 90
　　訓練課題（森林に学ぶ・土着菌培養） ………………………………………………… 94
　　訓練課題（森林に学ぶ・刈草たい肥のマルチング） ………………………………… 95
　　安全衛生作業 ……………………………………………………………………………… 96

学習のまとめ ……………………………………………………………………………………… 97

参　考（元素記号と化学式） …………………………………………………………………… 98
参　考（生物体に関する物質の化学式等の例） ……………………………………………… 99
索　引 ……………………………………………………………………………………………… 101

第1章

土

　土*とは，地表に近い岩石が，長い年月の間に，空気，気温，水，生物などからいろいろな作用を受け，小さく砕かれ，さらにその間に水や空気が含まれ，微生物などの有機物を含むようになったものをいう。人間は，土によって育てられた植物を通して，作物を収穫したり，樹木によって家や燃料を得てきた。現在では，土を耕し，肥料を施すことによってより一層の収穫と品質を高めているが，さらに土の構造や性質を理解することにより，植物に適した環境をつくることが大切である。

第1節　土の生成

　土は，岩石が風化してできたものである。地表面から地下約60kmまでの部分は，硬い岩石からできており，岩石のでき方によって火成岩，変成岩，たい積岩に大別される。

　これらの岩石は，地表で長い年月の間に，熱，水，空気，生物などの作用を受けて，しだいに小さくなる。これを岩石の**風化**（ふうか）という。

　岩石の風化は物理的，化学的の2種類の作用に分けられるが，風化はこれらの作用が同時に進んでいく場合が多い。

　切り開いた道路わきなどに見られる崖や，河川の上流と下流を観察すると，崖では下積みの岩石は大きく，上層にいくほど細かくなり，また，上層にある部分は，下層と比較すると黒色が強いものが多い。河川では上流ほど岩石が大きく，河口は砂や泥となっている。

1.1　物理的風化

　物理的風化とは，主に気温の変化によって岩石が小さくなっていく作用のことで，岩石中の鉱物の種類によって熱膨張する割合が異なるため四季，昼夜の温度変化によって膨張，収縮を繰り返し，岩石にひびや割れ目ができ，くずれて小さくなっていく。

　また，水の作用（凍結，流水，降雨，波など）でも岩石が小さくなっていく。

　岩石に染み込んだ水が岩石内で凍り，体積が膨張して岩石を破壊したり，川上から流れる水

＊　「土」とは単に植物を育てる基盤をいい，土壌とは「壌」に醸（かも）すや，やわらかく肥えた土地という意味があるように，ゆっくりと植物を育てあげる基盤のことをいう。本来は意味に違いがあるが，この本では「土」に統一して記述する。

とともに転がる岩石が小さくなっていったり，海岸の波が岩石を砕いたりする作用が物理的風化である。

1．2　化学的風化

化学的風化とは，岩石が水や空気の化学的な作用を受け，長い年月が経つにつれて少しずつ細かい粒子に変化することをいう。

これは，空気中の二酸化炭素，酸素・水などにより，水に溶けやすい水酸化物，炭酸化合物をつくりだし風化を進めていくからである。

このように岩石が物理的・化学的風化してできたものを**風化生成物**（ふうかせいせいぶつ）といい，その主なものは砂と粘土であり，土の**母材**（ぼざい）となるものである。

岩石が風化して砂や粘土になると，そのすき間（ま）が水や空気を保ちやすくなり，微生物や地衣類（ちいるい）[*1]，こけ類が繁殖を始め，それらの遺体が微生物によって分解される。これを**腐植**（ふしょく）といい，砂，粘土，腐植が混ざり合い，植物を育てる基礎となる。これを**土**（土壌（どじょう））という。

土が生成されて，たい積する方法には２種類ある。１つは，河口などで見られるように川上から水によって運ばれた母材が流れの遅いところにたまり，しだいに平野を形成する。世界で有名な河口の米麦産地はこのようにしてできた平野であり，この土を**運積土**（うんせきど）という。もう１つは，盆地などで移動せずに，その場所の岩石が風化してできたもので**残積土**（ざんせきど）といい，やせた土が多い。

1．3　土　　　層

岩石が風化したあと土は，流水，風などによってとどまることなく風化し，同時に移動して流出し，たい積する。地面を縦に掘りその断面を調べると，三層に分かれ地表に近い方からＡ層（腐植層），Ｂ層（集積層），Ｃ層（母材）に分類される（図１－１）。

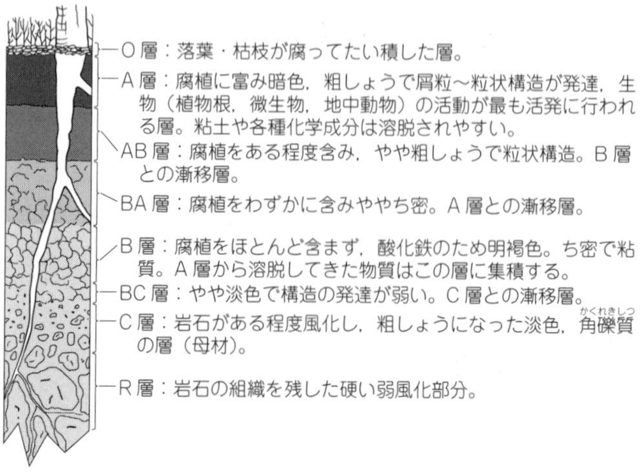

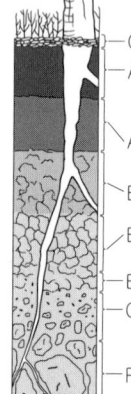

O 層：落葉・枯枝が腐ってたい積した層。
A 層：腐植に富み暗色，粗しょうで屑粒～粒状構造が発達，生物（植物根，微生物，地中動物）の活動が最も活発に行われる層。粘土や各種化学成分は溶脱されやすい。
AB 層：腐植をある程度含み，やや粗しょうで粒状構造。B 層との漸移層。
BA 層：腐植をわずかに含みややち密。A 層との漸移層。
B 層：腐植をほとんど含まず，酸化鉄のため明褐色。ち密で粘質。A 層から溶脱してきた物質はこの層に集積する。
BC 層：やや淡色で構造の発達が弱い。C 層との漸移層。
C 層：岩石がある程度風化し，粗しょうになった淡色，角礫質（かくれきしつ）の層（母材）。
R 層：岩石の組織を残した硬い弱風化部分。

図１－１　土壌断面層位の模式図

土層の分化は主に降水の働きによって起こる。つまり土層の分化は，水が可溶成分[*2]を下層に運ぶ作用（**溶脱**）と，溶脱した成分が下層に集まる作用（**集積**）とが長い年月の間に積み重なってできたものである。

また，河川の洪水や土砂くずれによって粘土，砂，小石などの層が重なっていることがある

＊１　**地衣類**：菌類と藻類との共同体をなす植物のこと。
＊２　**可溶成分**：水に溶ける物質・植物の吸収できる成分のこと。

が，これは土壌化作用ではないが，年月が経つと風化が進み，やがては土層になる。

土層の三層には次のような特徴がある。

① A層（腐植層）は，土中の水に溶ける物質が流された層で溶脱層（ようだつそう）ともいわれ，有機物が多く，空気にいつも触れているので，新鮮な黒色が強い。

② B層（集積層）は，A層から溶けだした物質が集まったところで下層土ともいわれ，腐植の量が少ないので元来の岩石の色をしていることが多い。

③ C層（母材）は，A・B層をつくっている土の基になる岩石の破片が多い。

1.4 土の組成

地中には，固体，液体，気体が図1－2のような割合で含まれている。この状態は別名土の三相といわれている。固体である粘土，砂，れきの含まれている割合は，長期間あまり変わらないが，液体の水分，気体の空気の割合は，固体の粒の大小，地下水の水位，降水量などによってかなり変化がある。地中の空気や水は，土粒の中にも入り込んでいるがその多くは，土粒と土粒の間の孔隙（こうげき）（すき間）という部分に保持される。

(1) 粘　土

岩石が風化を受けて分解していくとき，カリウム，ナトリウム，カルシウムのような水に溶けやすい成分が流出し，そのあとにコロイド[*1]状のケイ酸，鉄，アルミナ[*2]が残る。

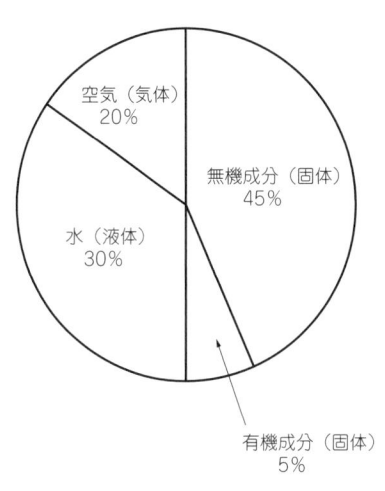

図1－2　畑土の成分の容積組成

このうち，ケイ酸は陰電荷，鉄，アルミナは陽電荷を帯びており，互いに引き合い，結合して新しい鉱物をつくっている。このように，風化した岩石から二次的にできたものを粘土鉱物という。

a．粘土の種類

(a) カオリン

カオリンとは，酸性の水に洗われた結果できた粘土で，カルシウム，マグネシウムなどのアルカリ性物質が少ない。

日本の黒ボク土・褐色森林土・赤色土（かっしょくしんりんど・せきしょくど）（10～11ページ参照）といわれる土は，主にカオリンに属するハロイサイト，加水ハロイサイトなどの粘土を含んでいる。

(b) モンモリロナイト

モンモリロナイトは，ヨーロッパや北米などの雨量が少なく乾燥したアルカリ性物質を含んだ土にできやすい。

---

*1　コロイド：直径が0.001～0.1μm（マイクロメートル）の粒子で，陽電荷又は陰電荷を持つ。デンプン，土の場合は，親水コロイドといい，水の分子を引きつけ，陰電荷を持つ。

*2　アルミナ：鉄やアルミナとリン酸は，リン酸鉄やリン酸アルミニウムをつくり，水に溶けにくくなる。

日本では，少しではあるが水田に存在する。

(c) 加水雲母類

加水雲母類は，海底が隆起し，カリウム，ナトリウムを多く含んだところにできやすい。

(d) アロフェン

アロフェンは，火山灰中のケイ酸とアルミニウムが結合した粘土で無定形である。

b．粘土の性質

先に述べたように，粘土はコロイド状で陰電荷を持つケイ酸と，陽電荷を持つ鉄，アルミナからできているが，粘土は周囲の水がｐＨ[*1] 3～4（図1－3）を境にして，酸性が強くなると陽電荷，弱くなると陰電荷を帯びるようになる。

ふつう，土はｐＨ5～6が多いので，一般に粘土は陰電荷を帯びていると考えてよい。

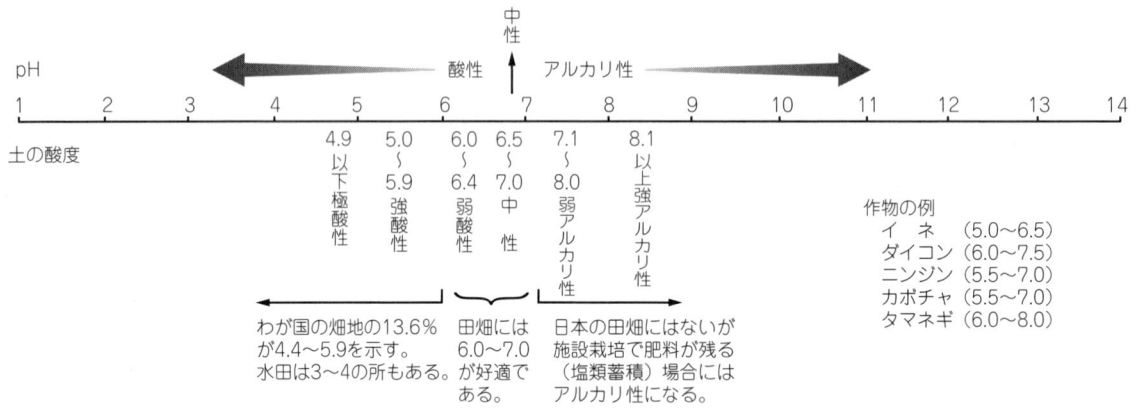

図1－3　ｐＨと土の酸度の区分

陰電荷を帯びた粘土は，その周囲に多くの陽電荷を持つカルシウム，マグネシウム，ナトリウム，水素などを引きつけている（図1－4）。

粘土に吸着された陽電荷を持つイオンは容易に電離[*2]しやすく，水和度[*3]の違いによっては交換[*4]しやすい。

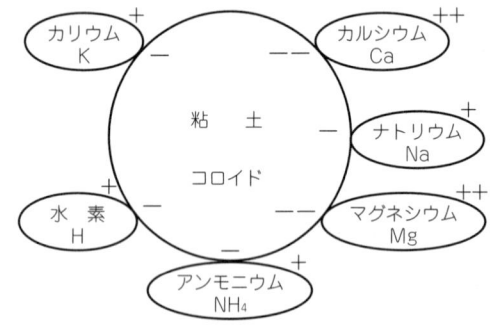

図1－4　粘土に吸着されているイオン

交換しやすい陽イオンから順に並べると次のようになる。

ナトリウム＞カリウム＞アンモニウム＞マグネシウム＞カルシウム≒水素

このように，コロイドの性質を持つ粘土が陽イオン交換反応によって，植物に吸収される養分が蓄えられたり，土のｐＨが定まったりするのである。

---

*1　ｐＨ（ピーエイチ）：水素イオン指数のこと。
*2　電　離：溶解中でイオン化すること。
*3　水和度：水（H_2O）のH^+又はOH^-とほかのイオンが結びつく度合いのこと。土中の陽イオンの水和度は，
　　　　　　$Na^+ > K^+ > NH_4^+ > Mg^{++} > Ca^{++} ≒ H^+$
　　　　　で，水素イオンH^+は，Ca^{++}と同程度と考えられる。
*4　交　換：粘土に吸着されている陽イオン同士が置き換わること。

粘土は，無機成分の大部分を占めているもので，植物の成長にとって大切な働きをしている。粘土とは，直径2μm（マイクロメートル）以下の粒子であるが0.2～0.1μm以下の細粘土（**コロイド**）といわれる部分が特に植物の成長に役立っている。その理由として次のようなことがあげられる。

① 粘土の粒子が小さいと，その表面積が広くなる。

② 粘土は，コロイドの性質を持っているので，陽電荷を持つイオンを引きつける。そのため①のように表面積が広いと陽イオンを引きつける量が多くなる。また，水の分子を取り込み土が大きく膨らんで軟らかくなる。

(2) 水

植物が成長するには，多量の水が必要である。日本のように湿気の多いところでは，植物の乾燥量1gに対して200～500g，乾燥した地方ではその2倍くらいの水が必要であるといわれている。

土中の水分が少ないと干害が起こるが，多くても土や養分の流出などの害が起こる。したがって，植物の栽培には，水の管理に十分注意しなければならない。

土が水を保持する力を**保水力**といい，砂質の土は保水力が弱く，雨水などは地下水になって流出することが多いが，腐植や粘土の多い土は保水力が強いので，雨水などは地表近くにとどまる。

雨が降ると雨水は土の孔隙に入り，**毛管水**となる。さらに含水量が多くなると**重力水**として，下方に浸透し地下水となる。

土中には，土中の鉱物や土の粒子と強く結合している**化合水**や，土の粒子の表面に薄い膜となって付着している**吸湿水**などがあるが，植物が成長過程に必要とする水は，毛管水でありこれを**有効水**ともいう。

(3) 空　気

土中には，水分と同量に近い空気がある（図1－2）。

空気は，根の呼吸作用に使用されるほか，微生物の生活にも必要である。地上の空気と比較すると土中の空気は，二酸化炭素の量が多く，これは土中の微生物の呼吸量を示し，微生物の数の目安となっている。

(4) 腐　植

土の色が黒色又は黒褐色をしているものの多くは腐植である。その構造は複雑で，まだ十分に分かっていないところもあるが，植物の成長になくてはならないものである。

土中では，**細菌，糸状菌，放線菌，藻類，原生動物**など多くの種類と数の微生物が生息し，有機物を分解しているが，その数は平均すると耕地の深さ2.5cmのところで土1g中に72,000,000，20cmのところで土1g中に4,000,000に達する。

これらの微生物が分解する動・植物の遺体には，炭水化物をはじめ窒素，リン酸，イオウ，

鉄，マンガンなどが含まれ，分解が進むと，二酸化炭素，水，アンモニアなどに変わるが，土中では分解が緩やかで遺体は中間生成物として土中に残っている。これが腐植である。

微生物が腐植をつくるとき，エネルギー源として炭水化物中の炭素と，微生物の身体を構成するタンパク質中の窒素が必要であるが，有機物中に含まれる炭素と窒素の割合｛**炭素率**[*1]（C：N比)｝によって分解する速さと量が異なってくる。

ここで，炭素率について述べる。

例えば，窒素分を多く含むマメ科の植物の茎や葉は，窒素分の少ないイネ科の植物と比較すると早く分解される。その理由は，イネ科の植物のように炭水化物が多くタンパク質が少ないと，微生物自体をつくる窒素が不足するので，その結果分解が遅れる。炭水化物を多く含む有機物を多く与えると，微生物が土中の窒素を奪って細胞分裂が盛んになり，栽培植物に必要な窒素肥料まで取り込んでしまい，**窒素欠乏現象（窒素飢餓）** を引き起こすことがある。

表1-1のように，植物によって炭素率は非常に異なるが土中の腐植の炭素率はほぼ一定となり，平均して10くらいである。また，炭素率が15より大きくなると，有機物は分解されにくくなる。

表1-1　有機物の炭素率の例

有機物	炭素率	有機物	炭素率
イネわら	60～70	ダイズかす	5～6
コムギわら	110～120	たい肥（イネわら）	13
ハダカムギわら	90～100	〃　（コムギわら）	18
レンゲソウ	17	マメ科の茎・葉	13～25

（森田 修三「土壌学汎論」，松木 五楼「綜合肥料学」による）

腐植は，植物に長く緩やかに養分を供給するほか，間接的な役目を持ち，植物の成長に大切な働きをしている。

その働きとして，次のようなことがあげられる。

① 腐植が多いと土の黒色が強くなり，地温を高めて植物の成長を助ける。
② 腐植は団粒構造（24ページ参照）をつくる大きな要因となり，土を軟らかくして，空気や水を保つ。
③ 腐植は一種のコロイドであり，陰電荷を持ち，陽電荷を持つ養分を吸収保持する。
④ 腐植は微生物の働きを盛んにし，植物に吸収されやすい養分を供給する。
⑤ 腐植は水分を吸収保持する力が強いので**容水量**[*2]を増す。

このように腐植は，いろいろな特長を持っているので腐植の多い土は，肥えた土[*3]といえる。

(5) 土中の微生物

土中の微生物は種類も数も多く，植物の成長に関係あるものとないものが生息しているが，ここでは植物に関係ある微生物について分類する。

---

*1 炭素率：たい肥や土中の炭素（C）量と窒素（N）量の割合で，C／N比ともいう。
*2 容水量：土中の水分量のこと。
*3 肥えた土・やせた土：水田，畑に関する用語で，収穫量の多い水田，畑を肥えた土といい，収穫量の少ない水田，畑をやせた土という。

a．微生物の種類

(a) 細　菌

細菌は単細胞の生物で，細胞分裂によって仲間を増やす。細菌は自身の身体とエネルギーをつくり出すための栄養を何から取るかによって**無機栄養細菌**（むきえいようさいきん）と**有機栄養細菌**（ゆうきえいようさいきん）の2種類に分類される。

　1）無機栄養細菌

　無機栄養細菌は，アンモニア，イオウ，鉄などのような無機物が酸化してできたエネルギーで生活し，有機物を必要としない。

　硝化菌，イオウ細菌，鉄細菌などがこれに属する。

　2）有機栄養細菌

　有機栄養細菌は，土中の動・植物の遺体である有機物から炭素や窒素をとって，菌体をつくり生活する細菌である。

　アゾトバクター，アンモニア化成菌などがこれに属する。

(b) 糸状菌

糸状菌はカビのことで，他給栄養で生育に必要なエネルギーと菌体を，土中の有機物を分解して得ている。また，糖，タンパク質，セルロース，リグニンなどを分解する。

(c) 放線菌

放線菌は細菌と糸状菌の中間の性質で，細菌と菌体の大きさは変わりないが，菌糸（きんし）をつくり出す。

放線菌も，他給栄養でセルロース，リグニンなどを分解し，細菌と同じように非常に数が多い。

(d) 藻　類

藻類は葉緑素を持っているものが多く，光合成によって有機物をつくり出す。

藻類は，ラン藻，緑藻，ケイ藻の3種類に分類され，ラン藻の中には空気中の窒素を取り込むものもあり，水田の生産力を高めるのに役立っている。

(e) 原生動物

原生動物は，ベン毛虫，根足虫，セン毛虫などの種類があり，細菌を捕食したり有機物を分解して生活している。

その他，ミミズや昆虫の幼虫などは土や動・植物の遺体を消化し，分解して団粒をつくり，植物が直接吸収できる養分をつくる。

b．微生物の活動条件

土中の微生物は，土の条件が異なることにより数が増減し，その数は植物の成長と非常に関係がある。

微生物の生育に影響を及ぼす主な条件は，次のようなものがある。

(a) 水　分

　土中の微生物の生育には，水分量が大きく影響し，土が乾燥すると微生物は活動を停止して休眠したり，死んだりする。

　畑地や庭園のように乾燥したところでは，**好気性菌**[*1]が活動し，水田ではごく水面に近い部分だけに好気性菌が働き，水中や土中では，**嫌気性菌**[*2]が働く。

　好気性菌は，土に最大容水量60％くらいの水分が含まれていれば，最もよく活動する。

(b) 温　度

　微生物の活動に最も適した温度は，27～28℃である。温度が低くなると，微生物の活動が抑えられ0℃ではほとんど活動しない。また，温度が高くなり40℃くらいになると，土中の微生物は死滅し始める。

(c) 深　さ

　土中の微生物は上層に多く，深さが1mになるとほとんど存在しなくなる。この原因は，深さが深くなると，空気と有機物が少なくなるためである。

　ただし，地表でも裸地[*3]では，乾燥と太陽光線の影響のため活動が妨げられている場合もある。

　一般に森林や草地では，地表より2～3cm，裸地では，約10cmのところが最も微生物が多いといわれている。

(d) 土の反応

　細菌や放線菌は土の反応が中性か，弱アルカリ性のときに最もよく活動し，酸性になると活動が鈍る。これに反して糸状菌は酸性に強く，むしろ酸性を好み生育する。

　しかし，糸状菌でもｐＨ4.9以下では活動が鈍り，数が減っていく。

(e) 有機物

　有機物は，多くの微生物の活動するための栄養源となり，土に有機物を施すと微生物の数が急に増え，有機物が少なくなると減っていく。

(6)　窒素の循環

　地表近くにあるいろいろな元素は，形を変えながら循環している。植物に大切な窒素を例にとると，窒素は動・植物中にタンパク質の形で存在しているが，動・植物が遺体となると微生物によって分解され，アンモニア態，硝酸態の窒素となり，植物に吸収される。吸収された窒素は再び植物タンパクに変化し，植物を形づくる。植物の一部は，動物に食べられるが，動物の排出物や，動物が死んで再び土中で分解され植物が吸収し循環する（図1－5）。

　土中での窒素の変化を見ると，アンモニア化，硝酸作用（硝化），脱窒，窒素固定作用などが植物と関係がある。

[*1]　**好気性菌**：酸素が存在しないと生育できない微生物のこと。
[*2]　**嫌気性菌**：酸素が存在しない状態でも生育できる微生物のこと。
[*3]　**裸地**：雑草を含む植物が生えていなくて，土が露出しているところ。

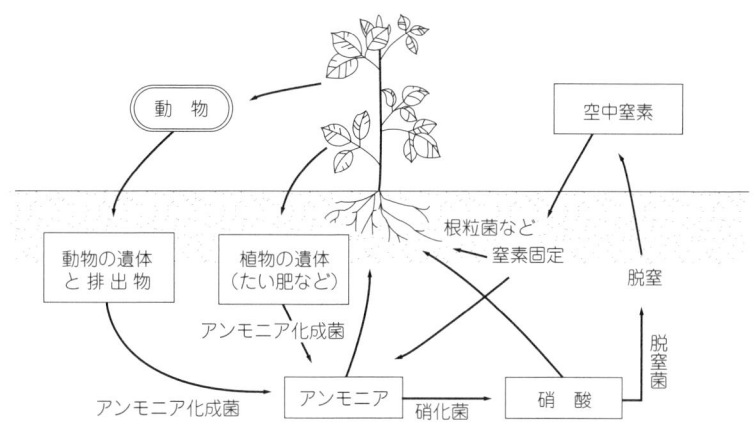

図1-5 自然界における窒素の循環

a．アンモニア化

アンモニア化とは，動・植物の遺体中，主にタンパク質が**アンモニア化成菌**によってアンモニア態窒素をつくり出す作用のことである。

b．硝酸作用（硝化）

硝酸作用とは，土中に酸素が多いと，アンモニア態窒素が**硝化菌**の作用を受けて硝酸や亜硝酸態窒素に変わることで，アンモニア態窒素より水に溶けやすくなり植物に吸収される。

c．脱窒作用，窒素固定

酸素の不足した湿地などでは，硝化作用によってつくられた硝酸や亜硝酸態窒素が，**脱窒菌**の作用で窒素ガスに還元され空気中に放出される。これを**脱窒作用**という。

また，マメ科の根に共生している根粒菌や湿地に生育している藻類の中には，空気中の窒素を直接取り入れて同化*したり，共生した植物に直接窒素を与えたりする。これを**窒素固定**という。

---

* 同化：体の一部分であるタンパク質になること。

第2節　土の種類

　日本の地形は，南北に長く延びているため，寒帯にある土から熱帯多雨地帯にある土までいろいろあるが，主に次のようなものがあげられる。

2.1　褐色森林土

　褐色森林土は，本州の中部地方を中心に広く分布する。落葉樹が基になってつくられた腐植も多い。また，土層も厚く軟らかい。

2.2　黒ボク土

　黒ボク土は，北海道から九州・沖縄地方までの火山のある地域に分布している。日本列島ができてから現在まで刻々とその分布が変化しているが，東北・関東地方では，古期火山灰土と呼ばれる。多量の腐植を含み団粒構造も発達し，土壌物理性はよいが，酸性が強くリン酸が効きにくい土である。これらの化学性を改良すれば畑に適した土になる。現在，わが国の畑地の約半分を占める土である。

2.3　赤　色　土

　赤色土は，本州西南部・四国・九州地方に分布している。分布地域は多雨地帯のため腐植が少なくやせており，畑地には利用されにくく，茶や果樹などが植えられている。

2.4　低　地　土

　低地には排水の悪い水田に見られる湿田型の**灰色低地土**（はいいろていちど）と河口などの水田に多く見られる土で地下水の影響の少ない**褐色低地土**（かっしょくていちど）がある。

2.5　そ　の　他

　その他の土には，
① 　地下水位が極めて高く，薄い黒色の土層の下に厚い泥炭層が存在する**泥炭土**（でいたんど）。
② 　地下水位がやや低く，泥炭が分解してできた黒い土層があり，さらに泥炭を含んだ土層が続く**黒泥土**（こくでいど）。
③ 　地下水位が高く，泥炭はないが湿田に見られる**低湿地土**（ていしっちど）。
がある。

訓練課題名	簡易土壌診断調査	材　　料
裸地に掘る調査用の試坑の大きさ		1m四方の平地数箇所

（図：幅80cm、奥行50cm、深さ50cm程度の直方体の試坑）

1．作業概要
地面を縦に掘り，断面を構成する土層ごとの土の特徴を体感的に把握する。

2．作業準備
器工具等
・スコップ　・コンベックス　・スタッフ　・カメラ　・移植ごて　・ビニール袋（20cm〜30cm，0.5mm以上の厚手のもの）　・マジック　・麻ひも

3．作業工程
事前に数箇所試し掘りした後，問題のない箇所を試坑箇所とし，調査に入る。
(1) 80cm×50cmの矩形を位置出しし，表土が下層の土に混ざらないよう慎重に掘りおく（①）。
(2) 深さ50cm程度掘ったら，調査断面を垂直に削る（②）。

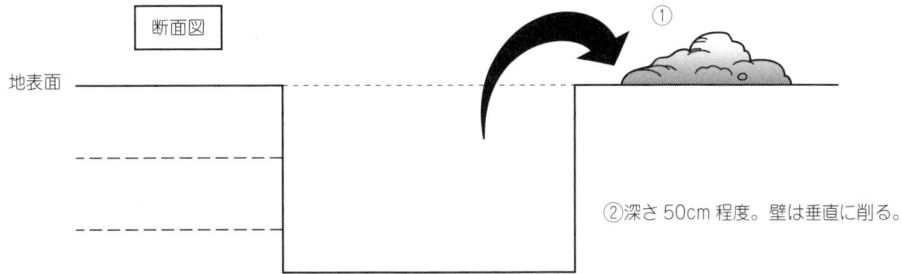

(3) 試坑が完成したら土層区分し，スタッフを当てて写真を撮る（③）。
(4) 親指で各層の土壌密度（粗・中・密）を判定する（④）。

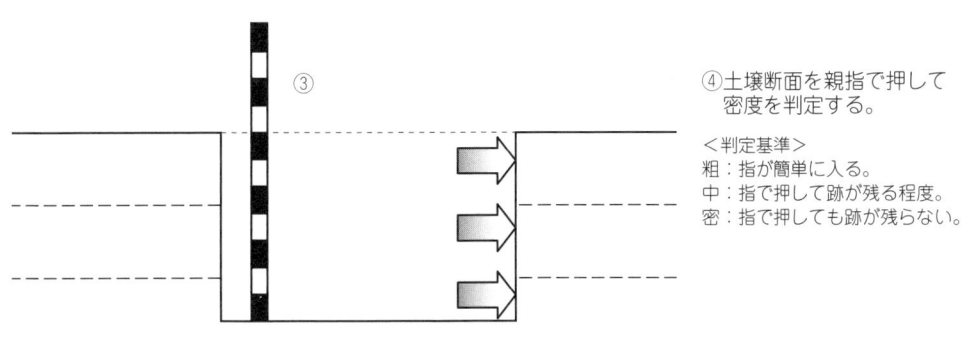

④土壌断面を親指で押して密度を判定する。

＜判定基準＞
粗：指が簡単に入る。
中：指で押して跡が残る程度。
密：指で押しても跡が残らない。

(5) 土層ごとに土を手に取り土壌構造（粒状・塊状）を調べる。
・粒状：さらさらした感じ。
・塊状：指でつまんでも崩れない状態の締まった塊が多い。
(6) 土層ごとに土を手に取り，こねたり，手のひらで転がし，粘土細工で土性を判定する。
・ざらざらした感じでまとまらない。　　→　砂土　　　　（粘土含有率5％未満）
・棒にはできない。　　　　　　　　　　→　砂壌土　　　（粘土含有率15％以下）
・鉛筆ぐらいの太さにはできる。　　　　→　壌土～埴壌土（粘土含有率15～25％）
・マッチ棒ぐらいの太さにはできる。　　→　軽埴土　　　（粘土含有率25～45％）
・コヨリのように細長くできる。　　　　→　重埴土　　　（粘土含有率45％以上）
(7) 土層ごとに土を手に取り，土の湿り具合（乾湿）を調べる。
一握りの土を強く握り締めて判定する。
・握った状態で水が染み出す。　　　　　　　　　　　　　　　→　湿
・握った状態で水が染み出ない。開いて土塊が崩れない。湿気を感じる。→　普通
・握った状態で水が染み出ない。開いて土塊が崩れる。湿気を感じない。→　乾
(8) 目視で土層ごとの土の色を観察する（土色帳があれば土の色を判定する。）。
(9) 各層ごとに埋め戻し，整地を行い元に戻す。

簡易土壌診断からの展開例
・土壌の化学的性質の簡易調査
　(8)の断面調査が終わったら，表層の土の土壌分析試料を採取する。
　事前に試掘した数箇所も含め，表層深15cm程度のところから採取する。
　各箇所から採取した土をかくはんし，そこから500cc程度を試料としてビニール袋に保管する。
　　　　↓
　市販の簡易土壌分析キットによって分析する（P13の「簡易土壌分析」を参照のこと）。
・土壌の役割の実験
　(8)の断面調査が終わったら，各層の土の土壌分析試料を採取する。
　事前に試掘した数箇所も含め，各箇所から採取した土をかくはんし，そこから500cc程度を試料としビニール袋に保管する。
　　　　↓
　P24の「団粒構造」，P34の「粘土の役割」を参照のこと。

参考：国土調査法
断面調査における調査事項
　層，層界，土性，礫，色，腐植の含量，泥炭及び黒泥，構造，孔隙，かたさ，粗密度，ねばり，斑紋，結核及び盤層，湿り及び湧水面，根，菌根及び菌糸，その他土壌を区分するために必要な事項
付帯調査
　土地利用の状況，植生，地形，地質，傾斜の角度及び方向，付近見取図，その他土壌を区分するために必要な事項
分析作業
　粒径組成，容積重及び容水量，全炭素，全窒素，ｐＨ，交換酸度，交換容量，交換性石灰，リン酸吸収係数，その他土壌の特性を明らかにするため必要な事項

訓練課題名	簡易土壌分析キット実験		材　　料
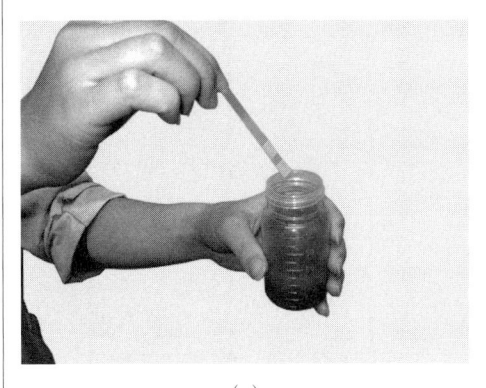 (a)		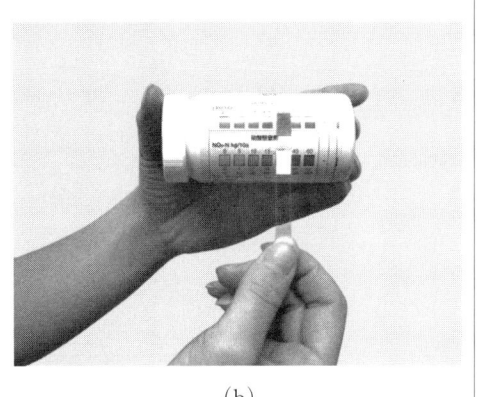 (b)	分析土壌試験 500cc

1．作業概要
　市販の試験紙を組み合わせた分析キットで，超簡便なリアルタイム土壌診断を行う。土壌のpH(H_2O)・硝酸態窒素・水溶性リン酸・カリ測定が可能。

2．作業準備
　器工具等
　　・分析キット（簡易土壌診断キット）　・精製水　・ポリボトル（下半分）　・バケツ

3．作業工程
(1) 試料をポリボトル容器に固めに入れ，そこに土壌試料採土器(10ccの使い捨て注射器の先端を切断した器具)を押し込む。

(2) 注射器の5cc目盛りより少し多めに土を採り，ピストンを押して5ccで止め，先端に出た土をナイフのようなものですり切る。

(3) この土を付属のプラスチック容器に押し出す（写真（c））。

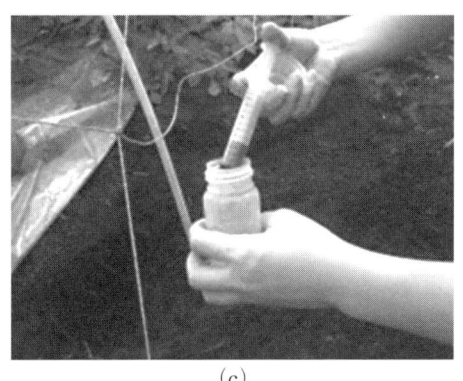

(c)

(4) 市販の精製水を50ccのラインまで加えてふたをし，1分間手で激しく振る（写真（d））。

(5) 懸濁液に試験紙チップを浸した後，取り出す。

(6) 1分間反応させた後，試験紙チップを裏にして，透明なプラスチックを通して呈色をカラーチャートと比べ測定値を得る（写真（a），（b）参照）。

(d)

14　土・肥料及び作業法

4．調査シート例

調査月日：　　　　　調査員：　　　　　調査法：

項目 場所	pH(H₂O)	硝酸態窒素 [kg/10a]	水溶性リン酸 [kg/10a]	カリ [kg/10a]	評　価	対処等
一般植栽地標準値	6～6.5	5	10以上過剰	10以上過剰		

参考：本格的な分析
(1)　pHの測定
(2)　電気伝導率（EC）の測定／塩類濃度の過多を推定する。
(3)　陽イオン交換容量（CEC）の測定／土壌の持つ陰イオン電荷の総量を表す。
(4)　塩基飽和度／陽イオン交換容量（CEC）に対する塩基（石灰・苦土・カリ）の総量を百分率で表す。
(5)　交換性石灰の測定
(6)　交換性苦土の測定
(7)　交換性カリの測定
(8)　可給態リン酸の測定（トルオーグ法）
(9)　リン酸吸収係数
(10)　可給態ケイ酸の測定
(11)　土壌の酸度矯正法（酸性・アルカリ性土壌の矯正）
(12)　RQフレックスによる硝酸イオン迅速分析法
(13)　汁液診断

第3節　土の性質

　日本では，降水量が年間平均1800mmと世界的にも有数な多雨地帯で，しかも急傾斜の土地が多いため，土中のアルカリ性の物質が流出し，酸性の土が多い。また，火山性の母岩からできているため，降水量の多さに加えて酸性が強く，全国的に土がやせている。

　日本の土の性質として次のようなことがあげられる。

① 　土の酸性を中和するカルシウム（石灰）の平均含有量は少なく，フランス4.07％，ドイツ1.31％，イギリス3.83％，アメリカ1.31％と比較すると日本は0.63％にすぎない。
　　また，降水量が多いために水溶性の養分が地下水などへ流出しやすい。

② 　酸性の強い土では，リン酸がアルミニウムと結びつき不溶な物質になり，植物に必要以上のリン酸肥料を多く施さなければならない。

③ 　腐植を多く含む土は，すき間が多くあるため空気や水を多く含み，植物の根にとって役立つことが多い。また，黒ボク土中のアルミニウムと腐植は強く結合する場合があり，微生物の分解を受けにくいので，より多くの腐植が必要である。

　次に，植物に大切な土の養分の吸収保持についてまとめてみる。

　土は粘土のコロイドとしての性質（図1－4）や，腐植のように流出しようとする養分を保つ性質があるが，その他にも次のような吸収保持の作用がある。

(1) 物理的な性質

　土は風化の基となった母岩の種類や風化された場所の気候などによって土粒の成分や粒子の直径が異なり，土中の腐植量も環境によって異なってくる（表1－2～表1－4）。

表1－2　腐　植

土中の腐植量	
2～5％	腐植を含む
5～10％	腐植に富む
10％以上	非常に富む

表1－3　粒径 [mm]

れ き	2以上
粗 砂	2～0.25
細 砂	0.25～0.05
微 砂	0.05～0.01
粘 土	0.01以下

（日本農学会法より）

表1－4　土中の粘土 [％]

砂　土	12.5以下
砂壌土	12.5～25
壌　土	25～37.5
埴壌土	37.5～50
埴　土	50以上

（日本農学会法より）

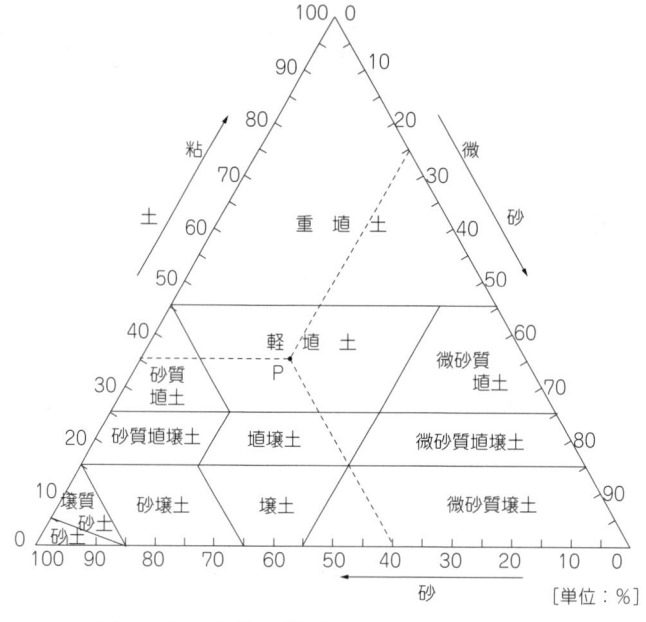

図1-6 土性一覧図

(2) 化学的な性質

土に施された養分と土の成分が化合して、水に溶けにくいリン酸カルシウムなどの化合物に変わる。また、陰電荷を持つ硝酸イオンも化学的に結合物をつくり、保持されることもある。

(3) 生物的な性質

土に施された有機質肥料などが微生物に吸収されたり、ほかの動・植物体によって一時吸収され、枯れたり遺体になると分解されて再び植物に吸収される。

このように土の養分保持の強さは、粘土の種類、土の成分、腐植量、施した肥料の種類、施肥法などによって異なってくる。一般に窒素やカリなどは土によく吸収され、容易に交換して植物に吸収されるが、リン酸は植物に吸収されにくい化合物になって土に吸収されるため、植物が吸収しやすくする工夫が必要である。

訓練課題名	土の粒径分析	材　　料
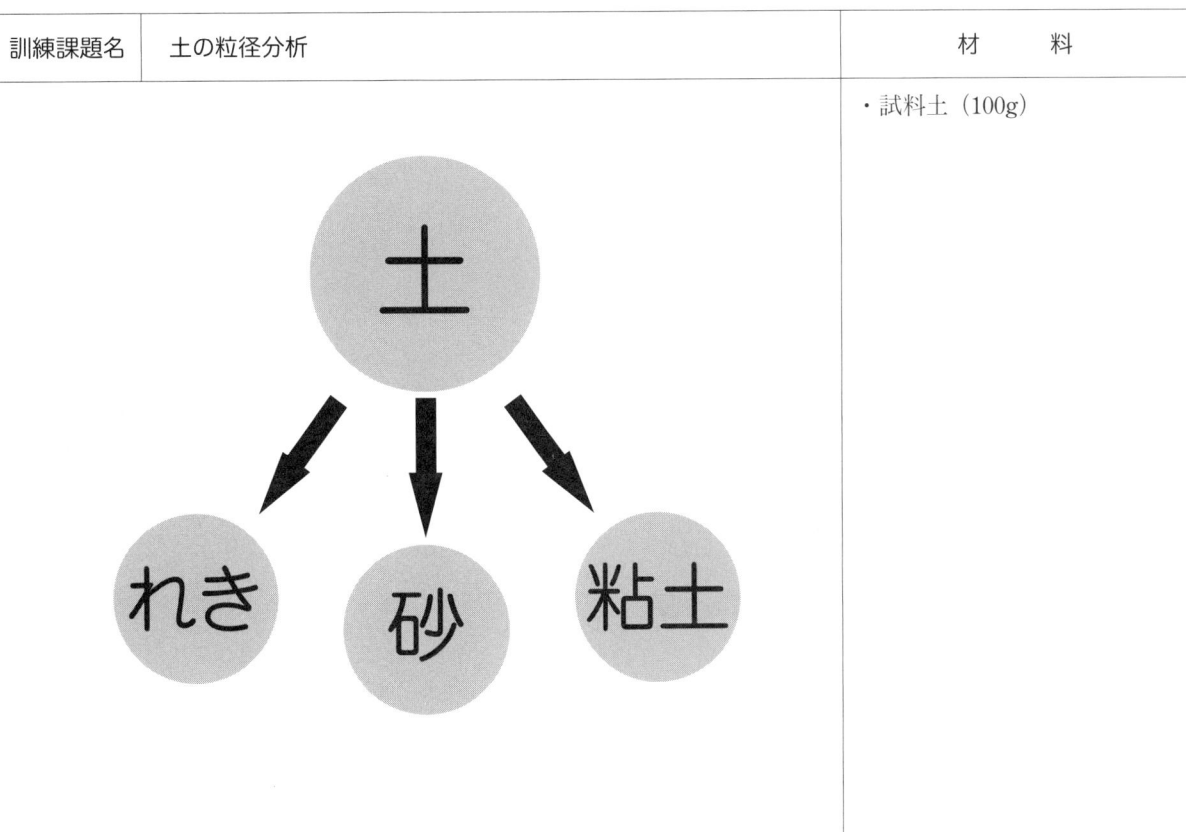		・試料土（100g）

1．作業概要
粒径分析とは，土を「れき，砂，粘土」に分類することである。

2．作業準備
器工具等
- ・すりこぎ状の木の棒　・2ℓビーカー又は同量のメスシリンダー　・2mm目のふるい　・新聞紙
- ・U字状のガラス管又はゴム管（内径5〜10mm）　・計量器（上皿天秤0.1g〜500g測定可能）
- ・かくはん棒　・定性ろ紙　・排水用バケツ　・水　・ロート　・ロート台

3．作業工程
作業手順を理解してから課題に取り組む。
(1) 土を棒で軽く砕く（図 (a)）。
(2) ふるいでふるう（図 (b)）。
(3) かくはんする（図 (c)）。
(4) 乾燥させる（図 (d)）。

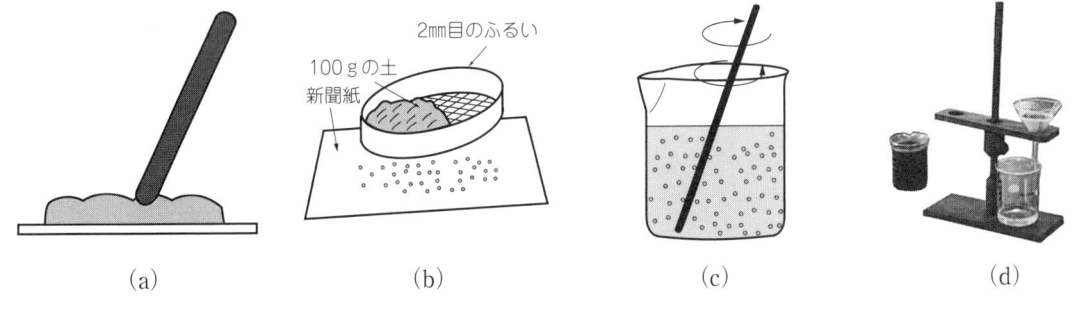

訓練課題名	土の粒径分析	

実　　習	関連知識
1．試料土の準備 　(1)　用意された乾燥土の確認。 　(2)　よく乾燥した土を木の棒で軽く砕く。 　(3)　砕いた土を100g計量する。  2．粒径の分析 　(1)　新聞紙上に2mm目のふるいを置き100gの土をふるう。 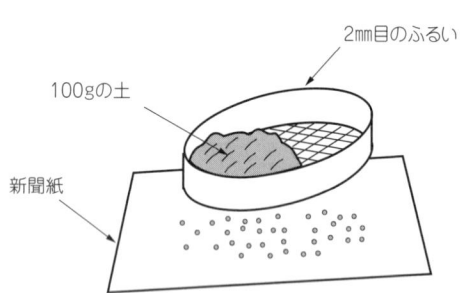 　(2)　2mm目のふるい上に残った土を計量し保管する。 　(3)　ふるいを通過し新聞紙上にある土をビーカーに入れ，水を入れ5分間かくはんする。 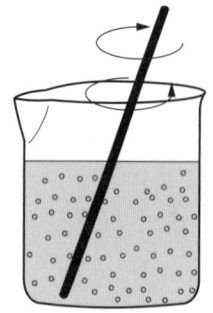	［安全］ 　木の棒を使用するとき，まわりの安全に十分注意する。 ・土の乾燥は直射日光を避け，風通しのよい暗所で行い，指でつまんで，さらさらする程度とする。 ・土の計量には上皿天秤を用いる。 ・ふるいを持ち，前後左右に動かす。  ふるいでふるったあと ・ふるい上に残ったものが，れきである。  れき（大粒）とふるいを通過したもの（小粒）。

実 習	関連知識
(4) かくはんしたあと10分間静置する。  (5) U字状ガラス管又はゴム管でサイホンの原理を利用し，水面に近い上の方から濁り水を捨てる。 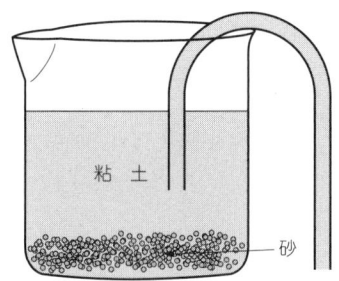 (6) 濁りがなくなるまで「注水」，「かくはん」，「静置」，「濁り水の除去」を繰り返す。 (7) 完全に濁りがなくなったことを確認した後，ビーカー内の水溶液と底部にある物質をろ紙上にすべて取り出す。 (8) ろ紙ごとよく乾燥させる。 　このとき，ろ紙上に残ったものすべてを計量し保管する。 	[安全] 　ビーカーに傷や割れがないか十分注意する。 ・濁り水を捨てるときに，ビーカー底部の物質を一緒に捨てない（濁りのある液には粘土が含まれており，その粘土を除くため）。 『サイホンとは』 ・長短2脚を持つ逆U字型の曲管で液体をいったん高所に上げてから低所に移動させることである。 ・U字管又はゴム管の一方を長くし，短い方を水に入れ，長い方を容器の壁にもたせ，管の出口を水より低くすることである。 ・ろ紙上に残ったものが砂である。 ・風でろ紙上のものが飛散しないように注意する。 ・ろ紙をあらかじめ計量しておく。 ・底にたまった砂を流し出さないようにする。

実　　習	関連知識
3．分析結果 　(1)　100gの土から，れき，砂の計量値を差し引いた値が粘土の計量値となる。 　(2)　各計量値を100gの土をもとに，それぞれ百分率計算された値が，れき，砂，粘土，水の百分率になる。 結果まとめ表 	試験土名	れき		砂		粘土		水	
---	---	---	---	---	---	---	---	---
質量，百分率	質量	百分率	質量	百分率	質量	百分率	質量	百分率
								| 4．後始末 　(1)　実習で使用した器工具等を返却する。 　(2)　作業台の上やまわりの整理整とんをする。	『土性の判定』 　現場での土の判定方法として以下の方法がある。 　手のひらに土を取り，少量の水で湿らせながら指先で湿った土を取り，粘土細工の要領で土の状態を判断する。 ①　指先で練ったとき，ざらざらして固まろうとしない状態，すなわち砂の感じが砂土。 ②　指先で練ったとき，わずかであるが固まろうとする状態の土が砂壌土。 ③　指先で練ったとき，鉛筆の太さ（直径5mmくらい）まで細工できる状態の土が壌土。 ④　指先で練ったとき，マッチ棒の太さ（直径2～3mmくらい）まで細工できる状態の土が埴壌土。 ⑤　指先で練ったときシャープペンの芯の太さ（直径0.5mmくらい）まで細工できる状態の土が埴土。 （それぞれの百分率は表1－4参照のこと。） ・作業台，器工具等がぬれていないことを確認する。

―― *学習のまとめ* ――

・水，空気，生物が岩石の風化とどのような関係を持っているかを理解する。
・植物の成長に直接関係のある土が，岩石からどのようにしてできたかを知る。
・土層が生成されることにより，植物の根がどのように順応（利用）しているかを知る。
・土の粒径分析の結果から，調査した土に適する植物の種類を知る。

第2章

土 と 植 物

土と植物は深い関係があり、土の状態によって植物の一生が定まる。

これは、古代から植物が土に順応した結果であるが、土と植物の関係としては、次のようなことがあげられる。

① 植物の幹、枝、葉は、土中に入り込み網の目のように張った根により支えられている。
② 土は養分、水分、空気を蓄え、植物に供給している。
③ 土は気温、降水などの急な変化をやわらげる。
④ 土に有害な物質が入り込んだとき、**緩衝作用**[*1]で根を守る。

現在われわれは、さらに土や植物を改良し、より多くの穀物、果物、花、樹木を生産、収穫しようとしている。

そのために、土と植物の関係をよく理解し、植物に適した状態にしていくことが大切である。

第1節　土の構造

土を握ると、砂のように1粒ずつさらさらとこぼれ落ちるものや、団子状に固まるもの、また、ざらざらと顆粒状になるものなどさまざまである。

これらの粒子の集積を土の構造といい、**単粒構造**と**団粒構造**の2種類がある。

1.1　単粒構造

単粒構造とは土の粒子が1つずつ独立している状態の土で、土粒間の**小孔隙**[*2]（すき間）が狭く空気や水の流通が悪く根の呼吸作用や水の吸収が悪くなり、植物の成長が阻害される（図2－1）。また、晴天が続くと土は固まって耕しにくくなる。

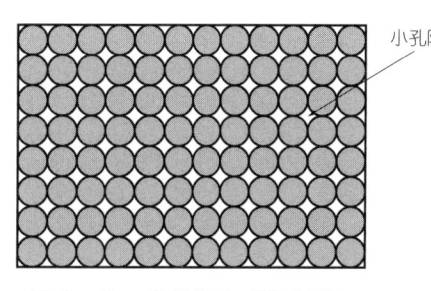

図2－1　単粒構造（模式図）

---
*1　緩衝作用：毒物が土中にあるとき、それを毒性のないものにする作用のこと。酸度の激しい上昇、下降を抑える働きをする。
*2　小孔隙：土粒間のすき間のことで、すき間が狭いと粘土間の分子間引力が強く、水分を離しにくい。

1.2 団粒構造

　団粒構造とは，土の粒子が集積して団粒をつくり，この団粒がよく発達している状態の土のことであり，団粒の間に大孔隙（大きなすき間）がある（図2－2）。そのすき間が空気や水の通路となり，小孔隙と大孔隙が組み合って空気や毛管水が保持され，植物の成長に好ましい条件の土となる。

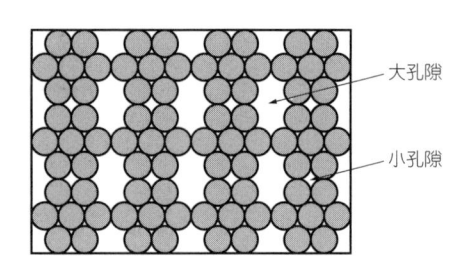

図2－2　団粒構造（模式図）

1.3 団粒化させる方法

　土を団粒化させるには，土の粒子同士を接着させればよい。そのための接着材には無機物と有機物がある。無機物としては，土の中の鉄やマンガンの水酸化物ゲルがあり，土の乾湿の繰り返される過程で化学反応により生成する。有機物の接着材としては，土に施した有機物が分解する過程でできる物質がその役割を果たす。また，ミミズなどの土壌動物が土の混ざった有機物をえさとして摂取し，排泄した糞土も団粒形成にかかわる。さらには，植物の細根がくしのような役割をして土の粒子を結びつけ，団粒をつくり上げる。

　逆に，土が極端に乾燥したり，多量の降雨により過湿になったり，長期にわたり有機物を全く施さなかったり，大型トラクターの過剰走行による土の圧密などの原因で団粒が破壊される。

　すなわち，土を団粒化させるには，適切な有機物の施用と極端な土の乾湿防止を心がけ，裸地にしないこととトラクターなどを走り回さないことが大切である。

訓練課題名	土の容水量測定	材　　料
		・試料土（200g）

（図：直径3cm・高さ5cmの円筒2個、セロハンテープ、ガーゼ、もめん糸でしばる、ろ紙を中に当てる、シャーレ）

1．作業概要
土の容水量測定とは，土が水を保持する力がどれくらいあるかを測定することである。

2．作業準備
器工具等
・ガラス又は金属円筒（直径3cm・高さ5cmのもの2個）　・セロハンテープ　・ガーゼ（10cm正方形）
・定性ろ紙（直径10cm以上のもの1枚）　・もめん糸　・シャーレ（直径10cm以上）　・蒸発皿　・乾燥機
・るつぼ鋏（はさみ）　・デシケーター

3．作業工程
作業手順を理解してから課題に取り組む。
(1) 土を入れる（図(a)）。
(2) 水の浸透時間の測定（図(b)）
(3) 乾燥（図(c)）
(4) 放冷（図(d)）

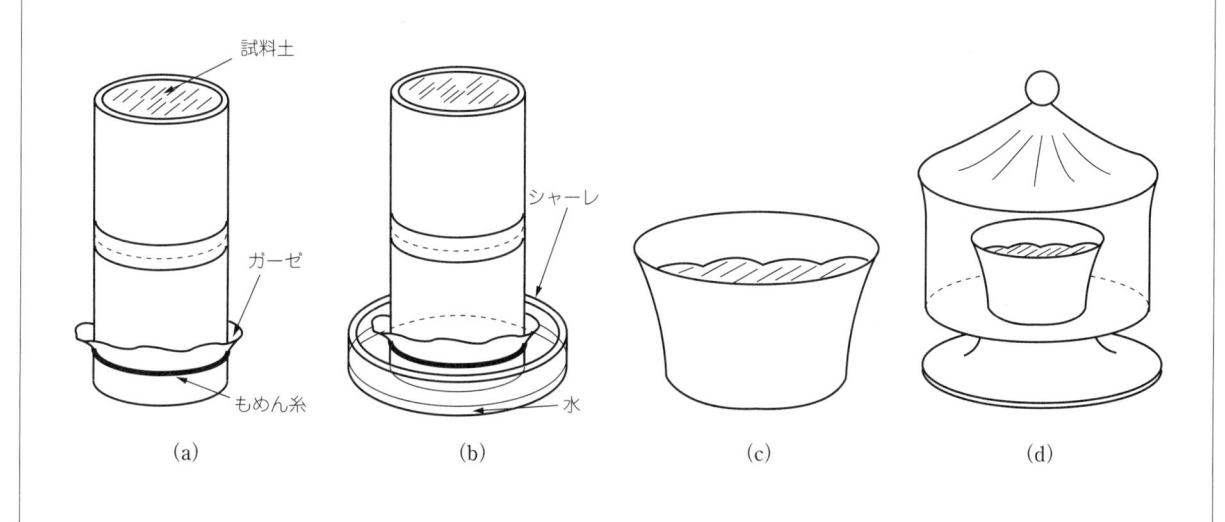

（図(a) 試料土、ガーゼ、もめん糸　図(b) シャーレ、水　図(c)　図(d)）

(a)　　(b)　　(c)　　(d)

実　習	関連知識
1．ガラス・金属円筒の準備 　(1)　2本の円筒をセロハンテープでつなぎ合わせる。 　　　　　　　　　　　　セロハンテープ 　　　　　　　　　　　　ろ紙を当てる 　(2)　円筒内に土を入れるときに土が落ちないように円筒の底にガーゼを当て，もめん糸で結ぶ。 　　　　　　　　　　　　試料土 　　　　　　　　　　　　ガーゼ 　　　　　　　　　　　　もめん糸 　(3)　円筒内に土を入れて満たし，机の上で軽く3回たたく。 **2．保持力の測定** 　(1)　シャーレに深さ5mm以上になるように絶えず水を入れて，土の表面まで水が浸透する時間を計る。 　　　　　　　　　　　　シャーレ 　　　　　　　　　　　　水 　(2)　水が表面まで浸透したあと，24時間静置しておく（シャーレに残っている水は取り除く）。	［安全］ 　ガラス円筒はできるだけ肉厚のものを使用すること。 ・試料土は地表に近い（深さ5cm）土を採取し，風通しのよい場所で乾燥させ，指でつまんで砕ける程度にする。 ・土を円筒内に入れるときは静かに入れ，土の表面が平らになるようにする。 『水の浸透する時間について』 　水が土中を移動する時間の速さを水はけが良いとか悪いとかというが，砂土のような保水力が悪い土は水の浸透が速く，壌土や埴土は水の浸透が遅い。

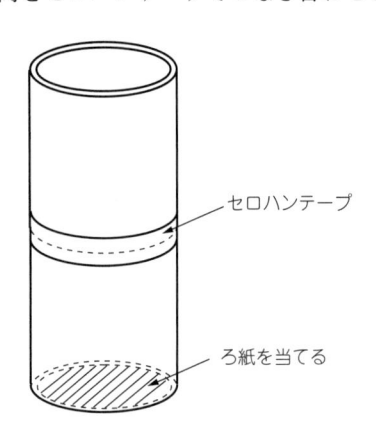

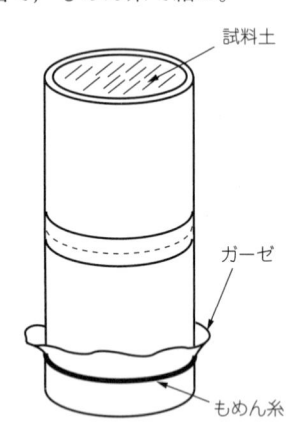

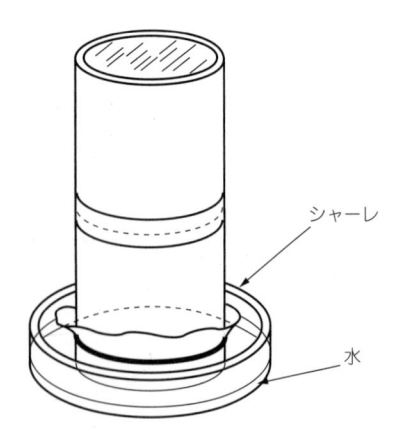

実　習	関連知識
(3) 静置後，セロハンテープの部分を切り離して，その部分からスプーンで土を取り出し，10g計量する。 (4) 取り出した土を蒸発皿に移し，乾燥機に入れ105～110℃で5時間乾燥させる。 3．測定結果 (1) 乾燥させた土をデシケーター内で放冷したあと，質量を量り含有されていた水分率を求める。 $$水分率＝\frac{乾燥前の土の質量－乾燥後の土の質量}{乾燥前の土の質量}×100$$ 4．後始末 (1) ガラス円筒，蒸発皿等をよく水で洗い，乾燥させる。 (2) 実習で使用した器工具等を返却する。 (3) 作業台の上や周りの整理整とんをする。	[安全] 　乾燥機の中の蒸発皿は熱いので，必ずるつぼ鋏を使用すること。 ・円筒の中間の土で水分量を量る方法は，日本の慣行法で最大容水量と最小容水量の中間を示す。 『最大容水量』 ・土粒のすき間が全部水によって埋まったときの水分量であり，この水分量が多いほど干ばつなどに強い土である。 『最小容水量』 ・土粒のすき間の水分を十分に除き，毛管水だけになったときの水分量で圃場（畑・水田）容水量ともいう。 畑のごくふつうの状態の水分量。 ・結果まとめ表 | 試料土を採取した場所	
乾燥前の土の質量	g
乾燥後の土の質量	g
土に対する水分率	% | ・この実験は，最大容水量と最小容水量の中間を示すもので，土がどれだけ水分を保持できるか目安となる。

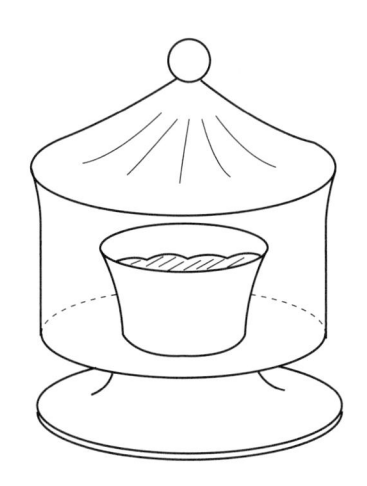

第2節　土の酸性と植物

　植物の成長は，土の酸性（ｐＨ）と非常に関係があり，酸性を決定するのは粘土である。土のｐＨは３～４を境にしてｐＨの数値が小さくなると陽電荷，大きくなると陰電荷を帯びるようになる。日本の土は，ふつう，ｐＨ５～６（水田を除く）と大きいので陰電荷を帯びている。

　したがって，粘土コロイドは，陰電荷を帯びているのでカリ，ナトリウム，マグネシウム，水素などの陽イオンが吸着しやすくなる。

　これらの陽イオンは，４ページで述べたようにコロイドの性質を持つ粘土と結びついているので，その結合は緩やかであり，水和度の違いによって常に交換される。

　植物が成長するときの大部分の土は弱い酸性を保ち，陰電荷のコロイドの性質でいろいろな陽イオンを吸着保持して少しずつ交換しながら陽イオンである養分が吸収されていく。

　ｐＨ４以下の酸性の土で起こる害は次のようなことがあげられる。

① 　水素イオンが多くなると粘土の陽イオン吸着量が少なくなる。

② 　黒ボク土のように，アルミニウムを多く含んでいると外に溶け出して植物の根に直接害を与える。

③ 　土が酸性化すると微生物が少なくなり，有機物を分解しにくくなる。また，団粒化しにくくなり土が破壊される。

訓練課題名	ｐＨメーターによる土壌の酸性度調査	材　　料
		市販草花培養土　　100g 市販ブルーベリーの土100g 洗い砂　100g 精製水　2000mℓ 重曹　1g 希塩酸　　2cc

1．作業概要
市販のコンパクトｐＨメーターで草花の栽培土のpH(H_2O)を測定し，植物により化学的な生育環境特性の違いを知るとともに，土の持つ化学的緩衝作用について確かめる。

2．作業準備
器工具等
　　・コンパクトｐＨメーター　・コップ　・ステンレスボール　・ガラス棒　・スポイト

3．作業工程
(1) コップを4つ用意する。
(2) 1つ目のコップに草花培養土100g，2つ目のコップにブルーベリーの土100g，3つ目のコップに洗い砂100gを入れ，それぞれに250mℓの精製水を加える。それをガラス棒でよくかくはんする。4つ目のコップには，精製水のみを250mℓ入れる。
(3) 上部の水が澄んできたら，4つの水のｐＨをコンパクトｐＨメーターで測る。
(4) ボールで重曹1gを1000mℓの精製水に溶かした液をつくる。
(5) 洗い砂のコップと精製水の入ったコップに希塩酸をスポイトでごくわずかずつ加え，コンパクトｐＨメーターで測りながら草花培養土のｐＨと同一にする。
(6) 各コップに重曹液を均等に少しずつ加え，その都度コンパクトｐＨメーターで測定する。
(7) それぞれのコップのｐＨ数値の変化をグラフ化し，比べる。

第3節　土の改良

　良い土とは，ｐＨが栽培する植物に適し，団粒化が進み，空気，水，養分を保つ力が強いものをいうが，日本の土は多雨，急傾斜，火山性の土，永年の農耕などで全体的にはあまり良い土とはいえない。そのために，植物に適するように土を改良する必要がある。

3.1　土壌化学性の改良

（1）酸性の改良

　酸性化が進む原因は，多雨，窒素質肥料の多施用などであり，酸性化を防いだり，化学的に中和するには，炭酸苦土石灰（苦土カル）を施す。

　苦土カルの施用の目的は酸性の中和であるが，土質を固くする場合もある。

　大型の農場・牧場などでは大工原全酸度法（おおくはらぜんさんどほう）によるか，地方の慣行によって苦土カル量を求める。鉢物や小規模の庭園などでは，交換酸度を測定し肥料用の苦土カルをいくつかの段階に少しずつ加えてｐＨを測定するか，市販品の酸度測定器で適量の苦土カル量を計測する。

　土のｐＨは，土の種類や土に含まれる腐植量により異なるがｐＨ6.3～6.5の範囲になるように調整する。

（2）土の保肥力の改良

　① 有機物を施す方法

　　土は時間が経つともとの酸性土に戻ろうとする性質がある。これを防ぐには，有機物を施す。特に腐植の少ない土には，苦土カルとともに有機物を施し，その緩衝作用で酸性化を防ぐ。

　　酸性土では，水素イオンがコロイドになった粘土の周囲に多く存在するため，養分となるマグネシウム，マンガンなどが少ない。また，酸性のため微生物の活動が衰えたりしている。

　　さらに，土中のアルミニウムが溶け出して水に溶けにくいリン酸アルミニウムをつくる。

　　したがって，有機物の施用と同時にリン酸質肥料も施す必要があるが，このとき，土を酸性化する化学肥料は避けなくてはならない。

　② ゼオライトを施用

　　ゼオライトの施用は土壌保肥力の改善に役立つ。

3.2　土壌物理性の改良

　植物は種類によって通気性，保水性，気温，湿度などの好みが非常に異なる。

　したがって，ｐＨ，通気性，保水性など植物の好みに合わせて土を選ぶ必要があり，そのために，植物の性質を知り植物に適した環境をつくることが大切である。

(1) 土

関東では，黒土，赤土，荒木田土（あらきだつち）などがあり，さらに団粒化した**赤玉土**や**鹿沼土**が市販されている。黒土，赤土はいずれも黒ボク土でリン酸分が少なく，酸性が強い。団粒化した赤玉土や鹿沼土は，通気性，保水性に優れている。

(2) 有機質の土壌改良資材

有機質の土壌改良資材には，**ピートモス**，**腐葉土**（ふようど）などがある。ピートモスは，地衣類，コケ類が寒湿地でたい積し，一部分が泥炭となったもので保水力や肥料の保持力が強く，通気性にも優れている。ただし，酸性が強いので調整が必要である。

腐葉土は落葉が腐植化したもので，土の改良には最もよく使用されている。

土の通気性が悪く，保水性，養分の保持などに劣る場合，土を団粒化させるような有機物を混ぜ合わせることが必要である。

有機質の土壌改良資材には，ほかにバークたい肥，ヤシ殻活性炭などがある。

(3) 無機質の土壌改良資材

無機質の土壌改良資材には，通気性，保水性をよくするための**天然の砂**，**バーミキュライト**，**パーライト**などがある。

(4) 侵食防止

侵食とは，雨水又は風の作用によって土が流出することで，土地の傾斜が大きく，広範囲になるほど，土の流出量が多くなる。また，土の水分吸収量や**分散性***（ぶんさんせい）が大きいと流出量が多くなる。

傾斜地の土の流出を防ぐには，裸地の発生をできるだけ避け，作物の収穫期が降水の季節にならないようにし，また，やむを得ない場合は，わらなどで裸地を覆うことが大切である。

傾斜の急なところでは，**等高線栽培**（とうこうせんさいばい）や**階段畑**（かいだんばたけ）にすることも1つの方法である。等高線栽培は，栽培植物を等高線に沿ってつくることで土の流出を防ぐことができる。

そのほか，牧草をつくることで降水の衝撃や，流れる水の速度が弱くなり，また牧草の根は団粒構造をつくるので侵食防止に役立つ。

(5) かんがい（灌漑）

かんがいとは，田畑に水を引いて，土地を潤すことであり，砂地や黒ボク土の土に効果がある。日本は降水量が多いが，四季の間には10〜20日くらいの晴天が続くことがあり，旱ばつの被害に遭うことも珍しくない。

また，地温の高いときにかんがいをすると地温を下げる効果がある。

かんがいを，夏に限らず冬に行う地方もあり，この効果として次の2つがあげられる。

① 暖かい水の熱を利用して地温を上げ，雪を早く溶かして植物の成長を早める。

---

* 分散性：団粒が小さく分かれてしまう性質のこと。

② 多量にかんがいすることにより，水に含まれる天然養分（カルシウム，マグネシウム，カリ，ケイ素）を施す。

(6) 客土（きゃくど）

客土とは田，畑，庭園の土が，連作（れんさく）で必要な養分が不足したり，元来，土の性質が劣っているときや，鉄，マンガンなどの不足や良質の粘土が必要なときに，他の場所の土を混入することである。

(7) 合成高分子化合物

高分子化合物[*1]が土の団粒構造をつくる働きを助ける作用については，多くの研究がなされている。水によく溶け，凝集力[*2]と粘着力がある資材としては，ポリビニールアルコール，ポリアクリルアミド系化合物，ポリエチレンイミン系化合物などがある。

これらの化合物によりつくられた団粒構造には，安定性があるが黒ボク土には効果が低いので，ベントナイトなどと混ぜ合わせて使用される。

(8) 庭園の土の改良

中小規模の庭園で，黒ボク土からできている土は湿気が多く常にじめじめして，土を握るとだんご状になることがある。このような場所は，排水を考えなければならない。

大規模な庭園であれば，地下に暗渠（あんきょ）をつくり，土中に染み込んでくる水を外に排出する方法がある（図2-3）。

小規模な庭園であれば，盛り土をして樹木や花壇の間に溝をつくり排水する（図2-4）。

土中に粘土が多く湿気が多いときは，砂やパーライトのような水通しのよいものを混入し，腐葉土などの有機質の肥料を施しすぎないように注意する。

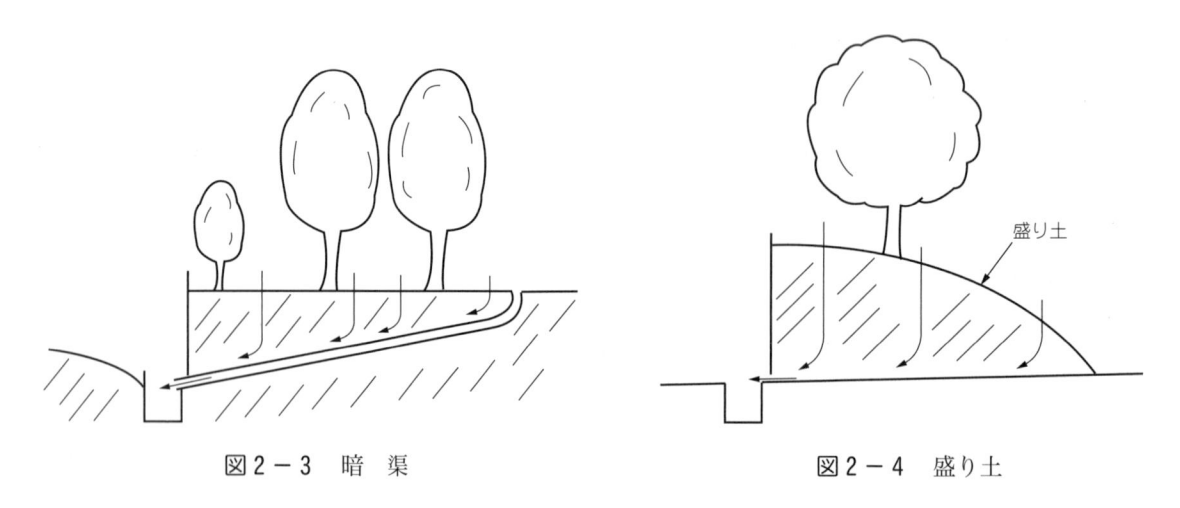

図2-3 暗渠

図2-4 盛り土

3.3 土壌生物性の改良

剪定枝，たい肥，わら，ピートモスなどの有機物を施し，土壌を膨軟にすることで通気性・

[*1] 高分子化合物：分子量の小さな分子が多く結合してできた化合物のこと。
[*2] 凝集力：分子を引きつける力のこと。

保水性などを向上させ，腐植を増加させて保肥力を高める。また，これらの有機物は土壌生物のえさとなり，土壌生物の活動を促して，多量要素，微量要素の肥料成分を供給するなどの改善効果も大きい。

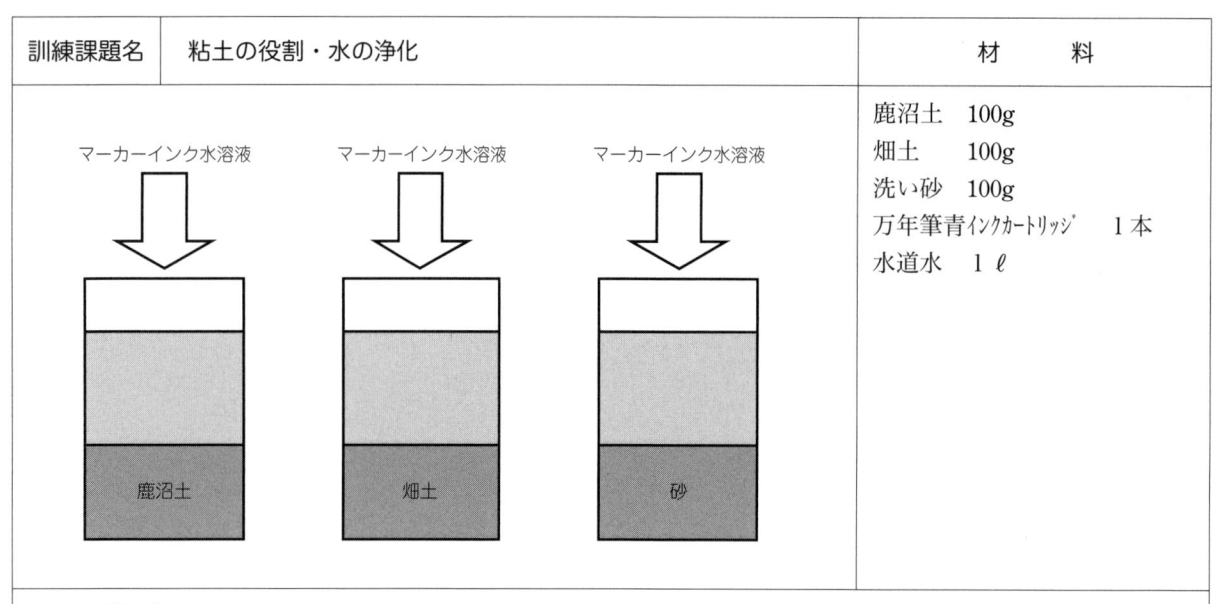

訓練課題名	粘土の役割・水の浄化	材　　料
		鹿沼土　100g 畑土　100g 洗い砂　100g 万年筆青インクカートリッジ　1本 水道水　1ℓ

1．作業概要
粘土の表面は陰電荷を帯びていて，陽電荷を持つ物質を吸着することを，色の変化で視覚的に把握する。

2．作業準備
器工具等
・ポリボトル（1ℓ用）4本　・カッター　・コンベックス　・計量器　・ビニール袋（20 cm×30cm，0.5mm以上の厚手のもの）　・マジック　・竹箸4本　・バケツ　・カメラ

3．作業工程
(1) 青インク液1ℓをつくる。
　　ポリボトル1本に水道水を1ℓ入れ，そこに青インクを数滴落とす。
(2) ポリボトルでビーカー型容器をつくる。
　　ポリボトルを上下半分にカッターで切る。下半分を容器として使う。
(3) ポリボトル容器に水溶液を入れる。
　　(2)でつくった容器3個に(1)でつくった水溶液を125ccずつ入れる。
(4) 鹿沼土，畑土，洗い砂の試料を計量する。
　　それぞれ50g分を計量し，ビニール袋に保管する。
(5) それぞれの試料を水溶液に入れる。
　　(3)の水溶液に(4)の試料を入れ，かき混ぜる。
(6) それぞれの容器の水溶液の色の変化を観察する。
　　時間ごとの変化を観察，記録する。

訓練課題名	粘土の役割・養分の貯蔵庫	材　料
	（図：砂の場合(a)、畑土の場合(b)　硫酸アンモニウム液、コーヒードリップ用ろ紙、ポリボトル上部、ポリボトル下部、リン酸ナトリウム液、砂、畑土）	畑土（石灰肥料が施されたもの）30g 洗い砂　30g 硫酸アンモニウム（硫安） リン酸ナトリウム（ウイルス消毒液） 塩化カルシウム（除湿剤，融雪剤）

1．作業概要

粘土（畑土）の表面は陰電荷を帯びていて，陽電荷を帯びている物質（カルシウムイオン）が吸着している。これにアンモニウムイオン液を加えるとイオン交換され，カルシウムイオンが流出する現象を，色の変化で視覚的に把握する。

2．作業準備

器工具等
・ポリボトル（1ℓ用）6本　・カッター　・コンベックス　・計量器　・ビニール袋（20cm×30cm，0.5mm以上の厚手のもの）・マジック　・竹箸4本　・ステンレスボール　・カメラ
・コーヒードリップ用ろ紙

3．作業工程

(1) ポリボトルで容器をつくる。
　　ポリボトル6本とも上部を漏斗，下部をビーカー容器とするため図のように2分する。
(2) 硫酸アンモニウム液をつくる。
　　ポリボトルビーカーに水道水100cc程度を入れ，硫酸アンモニウムをかき混ぜ溶かす。
(3) リン酸ナトリウム液をつくる。
　　ポリボトルビーカーにお湯200cc程度を入れ，リン酸ナトリウムをかき混ぜ溶かす。
(4) 塩化カルシウム液との反応を見る。
　　塩化カルシウムを水に溶かして液を少量つくり，(2)と(3)の溶液を少量別々にビーカーにとり，塩化カルシウム液を加えそれぞれの反応を見る。
(5) (2)硫酸アンモニウム液は変化がないが，(3)リン酸ナトリウム液は白濁する。これはカルシウムイオンが流れ出て，リン酸イオンと反応した結果である。
(6) 砂と畑土を使って，比較実験をする。
　　洗い砂と畑土をそれぞれ図（a），（b）のようにろ紙を敷いた漏斗に入れる。下の受け容器にはリン酸ナトリウム液を入れておく。
(7) 硫酸アンモニウム液を50ccずつ，土と砂に注ぎ，それぞれの容器の水溶液の色の変化を観察する。
　　時間ごとの変化を観察し，記録する。

訓練課題名	土壌改良材の比較	材　　料
	┌─── 1m ───┬─── 1m ───┐ │ ①植物区　　│ ②鉱物区　　│ │ ピートモス　│ ベントナイト又は │ 　　　　　　│ バーミキュライト ├──────┼──────┤ │ ③合成高分子化合物区　│ ④植物区　　│ │ ポリビニールアルコール，│ 腐葉土　　　│ │ ポリエチレンイミン，ポリ│ 　　　　　　│ │ アクリルアミドのいずれ　│ 　　　　　　│ │ か1種類　　　　　　　│ 　　　　　　│ └──────┴──────┘	・2m四方の平地（土質，傾斜，日当りが同じ条件の場所）

1．作業概要
植物系，鉱物系，合成高分子化合物系の土壌改良材を比較する。

2．作業準備
器工具等

・ピートモス（2～3kg砕いたもの）　・腐葉土（10kg砕いたもの）　・ベントナイト（10kg）又はバーミキュライト（20kg）　・ポリビニールアルコール（粉末のもの100g），ポリエチレンイミン（100g），ポリアクリルアミド（200g）の原液をそれぞれ100倍の水で薄めたもの（3種類のうち1つを選ぶ）　・スコップ　・手袋　・名札（4枚）　・牧草の種子

3．作業工程
作業手順を理解してから課題に取り組む。
(1) 土の区分け（図(a)）
(2) 改良材を混ぜる（図(b)）
(3) 種子をまく（図(c)）

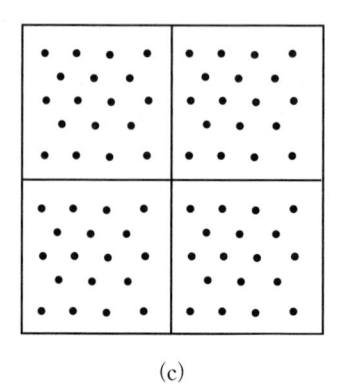

(a)　(b)　(c)

実　　習	関連知識
1．土を耕す (1)　2m四方の土を深さ20～30cm耕しならす。 （2m×2m、深さ20～30cmの図） (2)　1m四方に区分けする。 （①植物区、②鉱物区、③合成高分子化合物区、④植物区の区分け図） 2．各材料を土に混ぜる (1)　2～3kgの砕いたピートモスを「①植物区」に混ぜる。 (2)　腐葉土10kgを「④植物区」に混ぜる。 (3)　ベントナイト10kg又はバーミキュライト20kgを「②鉱物区」に混ぜる。 (4)　粉末のポリビニールアルコール100g，ポリエチレンイミン100g，ポリアクリルアミド200gの3種類のうちから1つを選び，それぞれの原液を100倍の水で薄めたものを「③合成高分子化合物区」の土に混ぜる。 3．種子をまく (1)　牧草などの種子を2m四方にまく。 （種子をまいた図）	[安全] 　スコップ又はくわで耕す（周りに注意する）。 　耕すときは手袋を使用する。 ・土，肥料に関する実習は，土の種類，地面の傾き，日照時間，降水量など，同じ条件で行うことが大切である。 ・4種類の区域のほかに，改良材を全く混ぜない区域を1つつくり，最後に比較してみる。 （区分けの詳細図：①植物区 ピートモス、②鉱物区 ベントナイト又はバーミキュライト、③合成高分子化合物区 ポリビニールアルコール，ポリエチレンイミン，ポリアクリルアミドのいずれか1種類、④植物区 腐葉土） ・1区について500粒以上まく。 ・満遍なくまく。 ・牧草は気象の変化に強い。特にマメ科の牧草は，肥料を与えなくてもよく成長する。 ・薄く土をかぶせる。

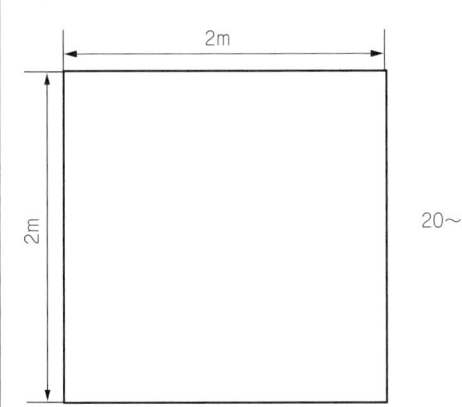

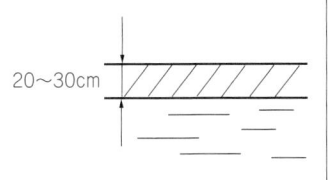

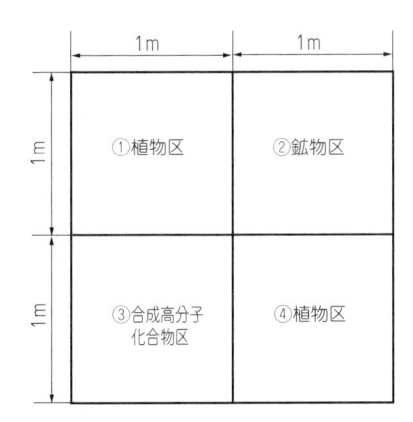

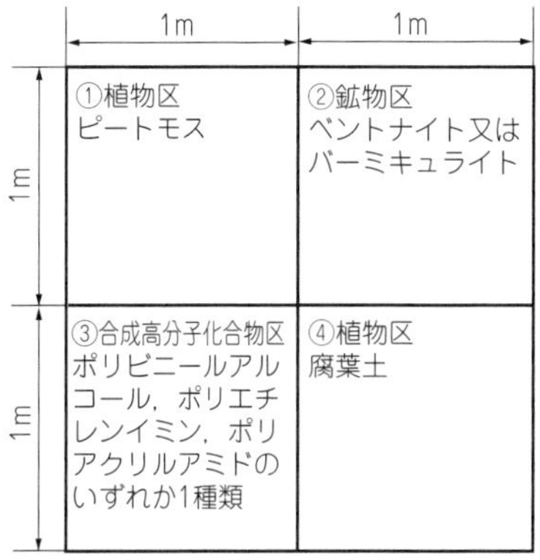

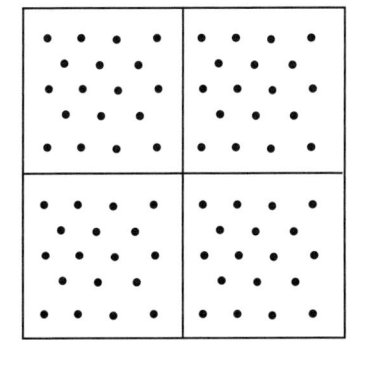

実　習	関連知識
4．各試験区に名札を立てる 　　　　　（例） 　　　　　┌─────────────┐ 　　　　　│植物区　ピートモス　│ 　　　　　│2010年3月1日播種　　│ 　　　　　└─────────────┘ 5．全体を同じ条件で手入れする 6．結　果 　(1)　土の状態，牧草の状態をそれぞれ観察する。 　(2)　土を取り出し，最大・最小容水量を測定する。 　(3)　(1),(2)の結果などを表にまとめる。 7．後始末 　(1)　残り肥料の袋は，よく密封し保存する。 　(2)　実習で使用した器工具等を返却する。 　(3)　作業台の上や周りの整理整とんをする。	 ・環境条件を同一にする。 ・状態の観察は1か月後と，2〜3か月後にする。 ・最大・最小容水量の測定は，2〜3か月後にする。

まとめ表

区域＼状態	①植物区		②鉱物区		③ 合成高分子化合物区		④植物区		改良材を混ぜない区	
実験区域の完成	日時		日時		日時		日時		日時	
改良材名										
改良材の混ぜ方										
1か月後	日時		日時		日時		日時		日時	
牧草の状態（色，高さなど）										
土の状態										
2〜3か月後	日時		日時		日時		日時			
牧草の状態（色，高さなど）										
土の状態										
最大容水量										
最小容水量										

―― *学習のまとめ* ――

・土の容水量が,植物の成長とどのような関係にあるかを理解する。
・団粒構造を単粒構造と比較して,植物の成長に適している理由を理解する。
・土の酸性の程度を測定するには,どのような方法があるかを知り,潜酸性の酸度測定が重要であることを理解する。
・日本の土の大部分が酸性であることを知り,それによって植物の成長に悪い影響を及ぼすことを理解する。
・土の酸性と植物の成長との関係を理解することにより,土をどのように改良するかを知る。
・庭園や鉢植えの作業を行うときの作業目的を知り,併せて作業後の手入れを十分に実施する。

第3章

肥　料

　肥料とは，空気中，植物体内，土中を循環しているいろいろな要素のうち，植物に不足しているものを補い，さらに収量を増やし，品質をよくするために施す要素である。

　野生の植物は，肥料を施さなくても成長するが，これは自然界が平衡を保っているからである。そのなかに人間が入り込み，種実を食料に，幹や枝を燃料や住居にしてしまうので，自然界の平衡が破れる。

　植物を成長させるには，自然界の要素の循環にできるだけ近づけることが最も大切なことである。

第1節　肥料と植物

　地表では，空気中，植物体内，土中の間で，いろいろな元素が循環している。

　植物は，根や葉から水，養分，酸素，太陽光線，二酸化炭素を取り入れ成長していく。また，植物は秋になると落葉し枝葉が枯れ，その枝葉を動物が食べ排出し，落葉や排出物を微生物が分解することにより養分となり，再び植物に吸収される（図3-1）。

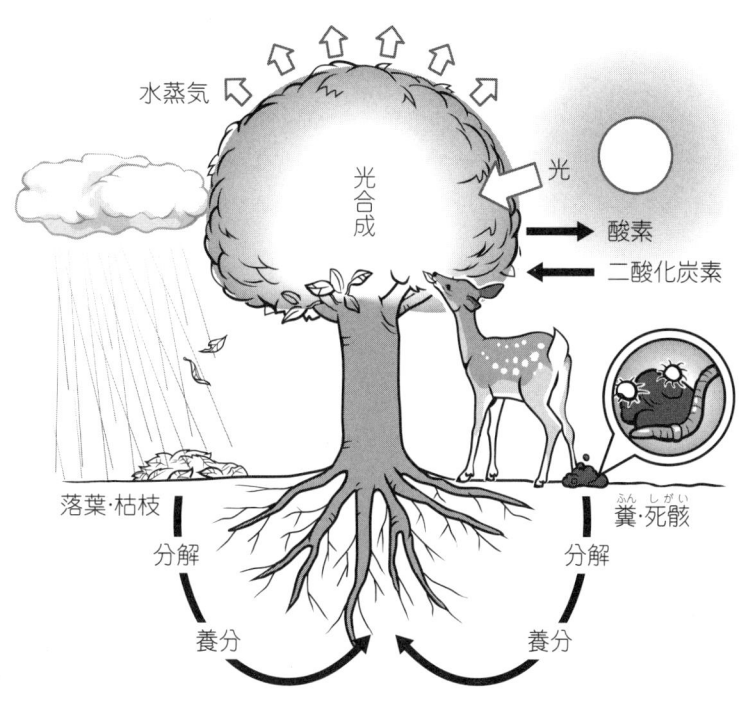

図3-1　要素の循環

　このように，常に一定量以上の要素が土と植物の間を循環しているときは，安定した植物の成長が見られる。

1.1 化学成分と元素

(1) 化学成分

植物体内に含まれている化学成分は，植物の種類，栽培地，毎年の気候の変化などにより異なり，同一の植物でも，種実，葉，茎，根によって異なる。

植物には，ふつう，70〜90％の水分が含まれており，これを乾燥，蒸発させると乾物になり，さらに焼くと炭水化物などが燃えて，無機物（灰分）が残る。

乾物中に含まれている有機物の内容は，大部分が炭水化物で，その次にタンパク質が多い（表3−1）。

(2) 元 素

植物には50種類以上の元素が含まれており（表3−2），このうち，酸素は空気中から呼吸によって，炭素は光合成によって，水素は水分として吸収される。

表3−2の窒素以下の元素は，根又は少量であるが葉から養分として水に溶けた形で吸収される。根から吸収されたいろいろな元素は，すべてが必要であるとはいえない。その中には，偶然に又は機械的に吸収される元素も含まれている。

ある植物をどの場所で成長させても，その植物中に含まれている元素の量に変わりがないときは，その元素は植物にとって必要で，その元素を**必須要素**[*3]という。

必須要素は，すでに100年前から実験的に証明されており，証明された順序に記すと，炭素，酸素，水素，窒素，リン，カリウム，カルシウム，マグネシウム，イオウ，鉄で，これを10元素といい，植物の成長には，必ず必要である。

次に，**水耕法**[*4]などによって，マンガン，銅，ホウ素，亜鉛，モリブデン，ニッケル，塩素

表3−1 植物に含まれている化学成分（％）

化学成分		茎・葉	穂
有機物	炭水化物	7.53	71.60
	粗タンパク質[*1]	4.63	7.56
	窒 素（N）	0.74	1.26
	粗 繊 維	34.81	5.64
	リグニン[*2]	25.90	8.50
無機物	全 灰 分	16.35	5.60
	リン酸（P_2O_5）	0.29	0.71
	カ リ（K_2O）	1.98	0.38
	石 灰（CaO）	0.57	0.10
	苦 土（MgO）	0.59	0.40
	硫 酸（SO_2）	0.10	0.22
	ケイ酸（SiO_2）	12.65	3.45

（石塚喜明「日本土壌肥料学雑誌23巻1,2号」による）

表3−2 植物に含まれている元素（％）

元 素	子実,茎,葉,根 全部の平均
酸 素（O）	44.43
炭 素（C）	43.57
水 素（H）	6.24
窒 素（N）	1.46
リ ン（P）	0.20
カリウム（K）	0.92
カルシウム（Ca）	0.23
マグネシウム（Mg）	0.18
イオウ（S）	0.17
鉄 （Fe）	0.08
ケイ素（Si）	1.17
アルミニウム（Al）	0.11
塩 素（Cl）	0.14
マンガン（Mn）	0.04
その他の元素	0.93

（藤原彰夫「農業及園芸25巻1号」による）

[*1] 粗タンパク：タンパク質の総量。
[*2] リグニン：最も分解しにくい炭水化物。
[*3] 要素と元素の違い
　　土，肥料を分析するときは，元素に酸素が化合した形で求める。
　　例えば，P（リン）はP_2O_5（リン酸）
　　　　　 K（カリウム）はK_2O（カリ）
　　したがって，元素といわず要素という場合が多い。
[*4] 水耕法：栄養素を水溶液にし，その溶液だけで植物を栽培する方法のこと。

も必須要素として加えられた。

そのほか，ケイ素，ナトリウム，コバルト，アルミニウム，セレンなども有用要素といわれているが，どの要素も量が多いと植物にとって害になる。また，ほかに確認されていない要素も多い。

植物は，養分を吸収するとき，必要な種類の元素を必要な量だけ吸収するのが普通であり，元素によって吸収する量が異なる。

植物が吸収する養分の中で最も多いのは，窒素，リン酸，カリで，これらを三要素という。次に多い養分は，カルシウム，マグネシウム，イオウで，三要素と合わせて多量要素という。そのほかに，鉄，マンガン，ホウ素，亜鉛，銅，モリブデン，塩素，ニッケルを微量要素といい，植物が養分を吸収する量によって3種類に分類される（図3-2）。

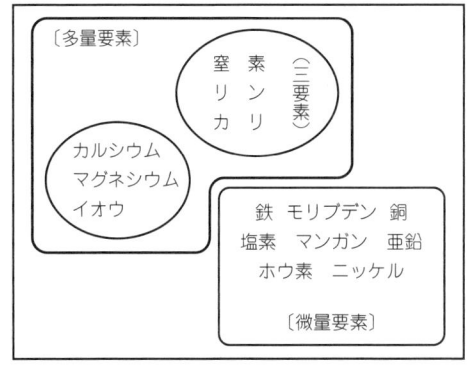

図3-2　植物が吸収する主な成分

1.2　天然養分

天然養分とは，肥料として施す以外の養分のことをいう。これらには岩石が風化してできたもの，有機物が分解してできたもの，かんがい水が運びこんできたものなどがある。

(1) 土からの供給

土からの天然養分は土の種類，母岩，土性などによって異なる。

水田など湿ったところの土は昔からの腐植が多く含まれているので，窒素の天然養分供給量が多く，また，土層中の還元層[*1]が発達すると腐植中のリン酸が還元され水に溶けやすい形となり，リン酸の養分供給量が多くなる。一般に砂質の土は，リン酸を多く供給し，粘土質の土は，窒素やカリの供給が多くなる傾向がある。

(2) かんがい水からの供給

かんがい水からの天然養分は，そのもとである河川の流域の地質，岩石の種類などによって異なるが，一般に花崗岩のある地域では養分量が少なく，安山岩の地域では養分量が多い。ふつう，養分量としては窒素は10a[*2]当たり713g，リン酸は100a当たり44g，カリは10a当たり2362gが平均値である（農学研究43巻1号による）。

また河川水には，三要素以外にケイ素，カルシウム，鉄，イオウなど多種の元素も多く含まれている。

(3) 雨水，大気からの供給

雨水には少量ではあるが，硝酸，アンモニアが含まれ，それらから供給される天然養分の量

[*1]　還元層：水分が多い土は，土中に酸素が入らず，また，微生物が土中の酸素を利用するために酸化物がだんだん還元される。

[*2]　a（アール）：広さの単位　1a＝10m×10m＝100m^2

は，年間10a当たり0.4～1.5kgである。硝酸は土のｐＨを下げ，リンの化合物を水溶性にする働きがあるといわれている。

また，空気中の窒素は，根粒菌の作用により窒素化合物に変化して植物に供給される。

（4） 可給態と不可給態

植物は水に溶ける物質，すなわち水溶液となった化合物を水とともに吸収する。

そのため，土中に植物の養分となる要素が多く含まれていても，その要素が水に溶けている形になっていなければ，植物の成長には役立たない。

植物が吸収できる化合物を**可給態**，水に溶けず植物が吸収できない化合物を**不可給態**という。

土中では，微生物をはじめ，空気，水の作用で不可給態が可給態に変化していくことがある。

＜窒素化合物の変化＞

土中に含まれる窒素化合物は，主に動・植物の遺体中のタンパク質である。タンパク質はアンモニア化作用により，多量の二酸化炭素とともにアンモニア化合物となり，さらに硝酸化作用を受けると硝酸化合物となってどちらも水に溶け，植物に吸収される。

また，湿田（しつでん）のように，年中水中に土が沈んでいるところでは，排水し，土を空気にさらすことによって，土中の動・植物タンパク質がアンモニア化作用，硝酸化作用を受け，可給態になることもある。これを**乾土効果**（かんどこうか）という。

＜リン酸化合物の変化＞

肥料として施したリン酸は，土中に入ると，カルシウム，鉄，アルミニウムなどと結合して，水に溶けにくい化合物に変わることが多い。これらの化合物は，水田であれば**還元性**[*1]の物質により可給態に変化することもあるが，ふつうは微生物や植物根から排出された酸や二酸化炭素によって可溶化する。植物の根から出る酸を**根酸**[*2]という。

また，腐植などに含まれているリン酸も微生物によって無機態のリン酸に変わり植物に吸収される。

＜カリ・カルシウム化合物の変化＞

カリは，鉱物成分の１つとして土中に存在しており，炭酸と結びついて炭酸カリに，カルシウムは石灰石が炭酸によって炭酸水素カルシウム（重炭酸石灰）になり，どちらも水に溶ける物質に変わる。

その他，マグネシウムなど三要素以外の要素も，リン酸と同じような変化で可給態に変化していく。

---

*1　還元性：ほかの化合物から酸素を奪う性質のある物質。
*2　根酸：根が伸びていくときに出す少量の酸。

1.3　養分吸収のしくみ

　養分吸収は，主に地表に近い根の部分から行われる。この部分は，根が細かく分かれ，さらに根毛という白色又は薄緑色をした柔らかい根があり，この根毛や細根によって養分を吸収する。

　地中深く伸びている根は，主に植物体を支えるために，放射状に広がっている。

　養分吸収には，根の選択・接触吸収のほかに，葉から直接吸収する葉面吸収がある。

(1)　選択吸収

　選択吸収とは，植物が根の周囲にある養分を同じように吸収するのではなく，成長に必要な要素だけを多量に吸収することである。

　細胞膜など半透膜を隔てて，濃度の異なる２つの溶液があるとき，両方の濃度が等しくなるまで，濃い溶液中の溶質[*1]が薄い溶液に向かって移動する。これを**拡散作用**というが，この作用は，根の細胞と土壌間でも行われ，水溶液になった養分が細胞膜を通って内部に入り，細胞内外の濃度が等しくなるまで続く。

　植物体内では，必要な養分はほかの養分より多く消費されるので，必要な養分の濃度が薄くなり，外部からその要素を取り込むことになる。

　不必要な要素は，取り込んでも消費されないので細胞内に残り，外部からは入り込まないことになる。

　しかし，植物体内の汁液（じゅうえき）を分析すると体内の汁液のほうが濃度の高い場合もあり，すべてを説明することはできない。これは細胞内の濃度を高くする特別な作用があると考えられ，これを**塩類蓄積作用**という。

(2)　接触交換説

　接触交換説とは，土と粘土が触れ合っているとき，粘土の表面に吸着されている養分と，根の細胞の表面にある水素イオンなどの間に交換が行われ，その結果養分が粘土から根に移動する説である。

(3)　葉による養分吸収

　植物の葉が黄色くなったときに鉄，苦土，亜鉛などの薄い水溶液を葉に散布すると回復するが，これは植物が葉からも養分を吸収するからである。

　葉からの尿素吸収を例にとると，葉に散布された１％以下の薄い尿素は，表皮をとおり細胞に入り，一部はすぐに同化され，その他は葉脈によってさらに内部の細胞に入るが，気孔から入る場合もある。葉面吸収は，葉の表面より裏面で多く行われるが，これは，葉の表面にはクチクラ[*2]層があり，尿素液が通過しにくいからである。

---

*1　**溶質**：溶液中に溶けている物質。
*2　**クチクラ**：葉の表面にあるかたい表皮。

葉面から養分を吸収する量や速さは，植物の種類，成長の状態，散布液の種類，散布法，pH，気象などによって異なる。これらの条件のよい場合は，4〜5時間で50％以上，ふつうは24時間で50〜85％が吸収される。

根の養分吸収が低下したとき，例えば，湿地や根に病気があるときに肥料を土に施しても，植物が吸収しにくい化合物になってしまい，養分不足のため成長が不良になるので，早く回復させたいときなどには葉面散布が効果的である。

しかし，三要素のように多量に必要な養分を葉面散布で補うことは困難であるため，樹木の枝の調整，葉の健康，果樹の光沢，発色などに微量要素の葉面散布が行われる。

1.4　最少養分律

植物の成長には17種類の養分が必要であるが，その養分は植物が必要とする種類と量が少ないと正常に生育しない。

もし，養分が1つでも不足すると，植物の成長は不足する養分量に支配される。

すなわち，三要素から微量要素までの必須要素がなければ植物は成長せず，必須要素の量が少なければ，不足した分は成長しない。

最少養分律は，リービッヒ*が研究した法則で，**リービッヒの最少養分律**という。

植物が正常に成長するには，養分のほかに，降水量，空気，土，光線なども関係する。

このように植物が成長するすべての条件を**生育因子**というが，因子の中で成長するのに障害となる因子を**制限因子**という。

例えば，イネの生育で日照量が不足したり，旱ばつにあうと不作になる。このときの日照量や降水量が制限因子となる。

リービッヒの最少養分律は，学説としては古くなったが，今もなおこの説を基にして，栽培技術が考えられている。

リービッヒの門下生であるドベネックは，制限因子を図3－3のようなおけで説明している。

図のように，おけの周りを生育因子と考え，おけの中の水を植物の収量とすれば，収量は最も条件の悪い因子の高さにしかならない。図3－3の場合は，窒素が不足しているので，収量は窒素の量に支配される。この因子が制限因子である。

植物の成長をこの図で考察すると，成長には多くの条件があり，1つの条件が特別優れていても収量が増すとはいえない。

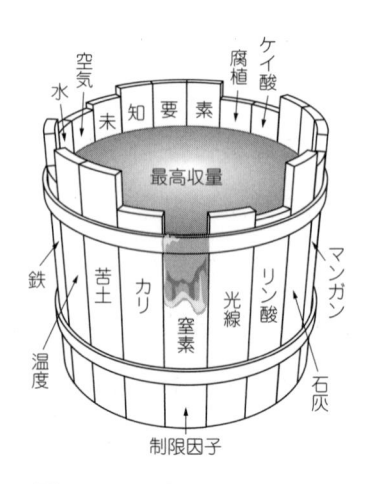

図3－3　ドベネックのおけ

---

*　リービッヒ：ドイツの生物化学者で，農業化学及び生理学における化学の応用と題した論文で近代農業の基を築いた。

また，制限因子をほかの条件で代用しても，制限因子を補うことにはならない。肥料，気候，土の状態など植物が成長する条件がすべてよい条件である場合にはじめて収量の増加が得られる。

1.5　収量漸減の法則

イネ，ムギなど作物は，養分を与え，水分，空気などの条件をよくしていけば，収量はしだいに増加していく。その増加量は，施肥量が多すぎるとしだいに減少し，やがては増加しなくなる。施肥量がある量に達すると，それ以上施しても収量は増加しない。

このように，施肥量と収量の増加割合がしだいに減少していく状態を収量漸減の法則という。

施肥量と収量の関係は，最高の収量に達したあと，さらに施肥すると収量は逆に減少してしまう。その原因としては，肥料の多施用により塩類濃度が高まることなどが考えられる（図3－4）。

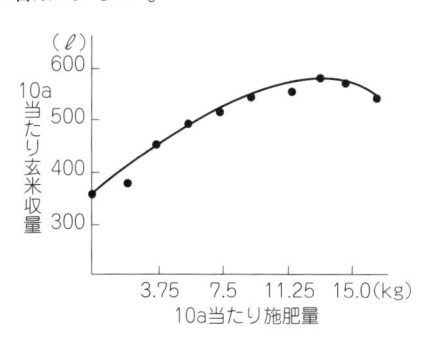

図3－4　水稲の施肥量と収量曲線
（松木五楼「施肥の原理」による）

1.6　養分吸収の環境

養分吸収の環境は，次のような条件がある。

（1）　空気の影響

植物が養分を吸収するためには，エネルギーが必要である。このエネルギーは，根の吸収作用によって炭水化物が酸化されるときに得られる。したがって，土中の通気性をよくするために，団粒構造を多くつくり，炭水化物の酸化を進めることが大切である。

（2）　光の影響

植物はエネルギー源として炭水化物を必要とするので，光が強くて光合成が盛んになれば，炭水化物の生成量が多くなり，養分吸収も盛んになる。また，曇天や雨天の日は，養分吸収が衰える。

（3）　温度の影響

気温が上昇する夏期は，養分吸収が盛んで，冬期になると吸収力は衰える。イネは気温30℃のときの養分吸収量を100とすると，16℃では平均して75くらいになり，特に窒素，リン酸，カリの吸収量が少なくなる。

（4）　ｐＨの影響

ｐＨ4〜7の範囲以外では吸収量が少なくなる。

第2節 三要素

　三要素とは，土から吸収される養分のうち最も多い窒素，リン酸，カリの3種類のことをいう。

2.1　窒　素（葉肥）

　窒素は植物体内で，すべての細胞に含まれ，有機態の複雑な化学構造をしている。

　タンパク質をつくる成分のうち約16％が窒素からできており，窒素が特に多く集まっている部分は，葉緑素と種子の中の貯蔵タンパク質である。

　葉緑素は光合成に関係する成分で，緑色の葉を持つ植物には必ず含まれている。

　また，貯蔵タンパク質を多く含んでいる植物はマメ科の植物で，根粒菌の窒素固定などによって，他の植物以上の窒素を蓄えている。

　窒素が不足すると，細胞中の葉緑素が生成されにくくなり，しだいに葉が黄色く小さくなり枯れてしまう。これを黄化症といい，施肥の診断の目安となっている。

　逆に窒素が多すぎると，葉が異常な濃緑色となり，葉や茎の水分含量が多くなり軟弱となる。また，植物の成熟期が遅れ，結実が少なくなり倒伏[*1]しやすく，病虫害に侵されやすくなる。

2.2　リン酸（リン）（実肥）

　リン酸は成長ホルモンなどに含まれ，窒素やカリと共同して植物の成長を助ける役目をしている。また，遺伝因子を持つタンパク質をつくり，呼吸作用によってできたエネルギーを蓄えたり，植物体内の各部分に補給したりする。

　リン酸が不足すると，発芽時の生育が悪く全体的な伸びも抑えられる。リン酸が多く含まれていると，根の発育がよくなり寒さにも強くなる。

　リン酸は，黒ボク土に含まれているアルミニウムと結びついて，植物に対して緩衝作用[*2]があり，アルミニウムの量を調整して，植物への害を防ぐ。

2.3　カリ（カリウム）（葉肥，実肥，全体肥）

　カリは植物体の体液中に含まれている養分で，葉にできるデンプンの生成やデンプンを糖に変え茎や根に移動させる。また，タンパク質の生成などに重要な働きをしている。

　カリが不足すると葉の先や葉脈が黄色になり，下葉から始まり上葉にかけて枯れていく。

---

*1　倒伏：イネ，ムギなどの茎が弱く，収穫時に倒れ，収穫しにくくなる状態をいう。
*2　緩衝作用：この場合の緩衝作用は，アルミニウムが多く流出したときに，これを緩やかに抑える作用のこと。

第3節 三要素以外の要素

三要素以外の多量要素と微量要素は，三要素と比較すると植物が必要とする量は少ないが，植物成長には不可欠な養分である。

微量要素の中には多量に施すと逆に害になるものもある。

3.1 カルシウム（石灰）

カルシウムは細胞膜をつくる養分で，茎や葉に多く含まれる。また，植物の身体を構成するほかに土の酸度を調整する働きをするので間接肥料ともいわれ，日本の場合，酸性の強い土が多いので，それを中和するため三要素に加えて四要素として重要な肥料と考えられている。

3.2 マグネシウム（苦土）

マグネシウムは葉緑素をつくる元素の1つで，不足すると葉は黄化し，光合成に影響を及ぼす。また，リン酸とともに種子に働いて発芽を促す重要な働きをしている。

3.3 イオウ

イオウは窒素とともにアミノ酸をつくる養分で，不足すると窒素欠乏に似た黄化症状を示す。

3.4 マンガン

マンガンは，土が酸性，アルカリ性のどちらも強すぎると水に溶けにくくなり，マンガン欠乏の症状を起こす。ミカン類，ムギ類の黄化症状がその害である。

3.5 鉄・銅・モリブデン

鉄，銅，モリブデンは，酸化酵素[*1]をつくっている元素で，植物体内の酸素を運搬したり，硝酸態窒素をアンモニア態窒素に還元したり，根粒菌の窒素固定作用などに関係している。

鉄，銅，モリブデン以外の微量要素として亜鉛，塩素，ホウ素，ケイ素など数種類あるが，これらはいろいろな酵素[*2]として植物体内において物が化合，分解したりすることを助ける働きをしている。

[*1] **酸化酵素**：酸素の中で物質中の酸素を奪って，他の物質に変える働きがある。
[*2] **酵素**：タンパク質又はタンパク質に他の元素が化合した物で，一定の温度又はpH中で決まった物質を決まった形に化合又は分解する。
　　（例）・アミラーゼは，デンプンを麦芽糖に分解する。
　　　　・トリプシンは，タンパク質をアミノ酸に分解する。

第4節　肥料の種類

肥料は「肥料取締法*」のなかで普通肥料と特殊肥料に分類されている。

普通肥料は肥料取締法で，登録，届出（一部）により生産，輸入，販売が可能になる肥料をいう。普通肥料以外の肥料を特殊肥料という。

表3-3　肥料取締法に基づく肥料の分類

普通肥料	三要素系肥料	窒素質肥料	硫酸アンモニア，塩化アンモニア，尿素，石灰窒素等
		リン酸質肥料	過リン酸石灰，熔成リン肥等
		カリ質肥料	塩化カリ，硫化カリ等
		有機質肥料	魚かす粉末，骨粉類，なたね油かす，鶏ふん等
		複合肥料	化成肥料，配合肥料，家庭園芸肥料等
	その他の肥料	石灰質肥料	生石灰，消石灰，炭酸カルシウム肥料等
		ケイ酸質肥料	鉱さいケイ酸質肥料等
		苦土肥料	硫酸苦土肥料，腐植酸苦土肥料等
		マンガン質肥料	硫酸マンガン肥料，鉱さいマンガン肥料
		ホウ素質肥料	ホウ酸塩肥料等
		微量要素複合肥料	熔成微量要素複合肥料等
		汚泥肥料	
	農薬が混入された肥料，指定配合肥料		
特殊肥料	イ　魚かす，蒸製骨，肉かす等で粉末にしないもの		
	ロ　米ぬか，発酵かす，家畜及び家禽のふん等		
	ハ　たい肥，家畜等のふんの処理物，バークたい肥等		

肥料の利用に当たっては，その中に含まれている成分の形態を知り，植物の種類や環境に合わせて施すことが大切である。

4.1　普通肥料

(1)　窒素質肥料

窒素質肥料に含まれている窒素の形には，アンモニア態，硝酸態，シアナミド態，尿素態，タンパク態などがあり，最終的に根からアンモニア態，硝酸態，葉から尿素態の形で吸収される。

a．窒素質肥料の形態

(a)　アンモニア態窒素

アンモニア態窒素は硫安，塩安などに含まれ，水に溶けやすく，土によく保持され，ほとんどの耕地に適している。

アンモニア態窒素は硝化菌の働きで硝酸態に変化する。

---

*　肥料取締法：わが国には肥料取締法があり，販売肥料の成分量や有害成分の最大量を定めている。
　　これらの数量は，保証成分の％，一袋内の肥料成分kg数，有害物質の量などを表示しなければならない。

(b) 硝酸態窒素

硝酸態は硝酸アンモニウムや硝石などに多く含まれており，水に溶けやすく，**速効性**[*1]で雨水やかんがい水によって流出しやすい。

(c) シアナミド態窒素

シアナミド態とは，石灰窒素中のカルシウムシアナミドのことである。土中の小動物や植物には有毒であるが，土中の作用で尿素に変化し，さらにアンモニア態に変化する。したがって，シアナミド態は**緩効性**[*2]である。

(d) 尿素態窒素

尿素態はそのままの形で葉から吸収されることもあるが，土に施すと微生物によりアンモニア態さらには硝酸態に変化してから植物に吸収される。

(e) タンパク態窒素

タンパク態は油かすのほか，動・植物の遺体に多く含まれ，微生物により分解されアンモニア態からさらに硝酸態に変化して植物に吸収される。また，タンパク態の窒素は，ゆっくり分解するので緩効性である。

ここで副成分について述べる。副成分とは，化学肥料の肥料としての主成分と化合したり不純物として存在しているものをいい，主成分とともに吸収されたり，土質を改良したりしてよい働きをする場合もあるが，植物に適さない場合も多いので，副成分についてよく理解しておく必要がある。

例えば，硫安を水に溶かすと，アンモニウムイオンと硫酸イオンとに電離する。植物は，この2つのイオンのうちアンモニウムイオンを選択吸収する傾向があるので，土中に硫酸が残り，土は酸性化する。

また，石灰窒素のように石灰を副成分として含んでいる場合は，窒素が吸収されても土中に残って，土の酸性を中和する働きがある。

肥料に含まれる主な副成分を表3－4に示す。

表3－4 肥料中の主な副成分

肥料名	主成分	副成分量（％）			
硫安	窒素（N）	硫酸	（SO_3）	60	（酸性）
塩安		塩素	（Cl）	65	（酸性）
石灰窒素		石灰	（CaO）	60	（アルカリ性）
尿素		炭酸	（CO_3）	70	（中性）
過リン酸石灰	リン酸（P_2O_5）	硫酸（石こう中のもの）	（SO_3）	19	（中性）
		石灰（石こうとリン酸一石灰中のもの）	（CaO）	21	（中性）
熔成リン肥		石灰	（CaO）	30	（中性）
		苦土	（MgO）	20	（中性）
		ケイ酸	（SiO_2）	25	（中性）
硫酸カリ	カリ（K_2O）	硫酸	（SO_3）	41	（酸性）
塩化カリ		塩素	（Cl）	45	（酸性）

---

*1 **速効性**：特に定まってはいないが，施肥して3～10日過ぎるとその効果が現われる。
*2 **緩効性**：特に定まってはいないが，施肥して10～30日過ぎるとその効果が現われる。

b．窒素質肥料の種類

肥料取締法の分類によると21種類に分類されている。主な窒素質肥料には，硫安，塩安，硝酸アンモニウム（硝安），硝酸ソーダ（硝酸ナトリウム，チリ硝石），尿素，石灰窒素，硝酸石灰（ノルウェー硝石），腐植酸アンモニア肥料，硝酸アンモニア石灰，硝酸アンモニアソーダ，硝酸苦土，副産窒素，混合窒素，ホルムアルデヒド加工尿素，アセトアルデヒド加工尿素肥料，イソブチルアルデヒド加工尿素肥料，グアニル尿素，オキサミド窒素質肥料がある。

わが国は降水量が多く，湿度が高いので，吸湿性が強く粘土に吸着されにくい硝酸態肥料よりは，アンモニア態，尿素態の肥料が多く使用されている。

(a) 硫酸アンモニウム（硫安）

昭和初期まではハーバー法[*1]で空気中の窒素をアンモニア化し，硫酸と化合してつくっていたが，現在は**回収硫安，副成硫安**が主である。

回収硫安とは，工業用に使用された硫酸やアンモニアの残りを硫安としたものであり，副成硫安とは，コークス製造や重油から取り除いたイオウから硫酸を生成し，アンモニアを硫酸と反応させたものである。

公定規格[*2]では，アンモニア態窒素20.5％以上とされているが，市販品の保証成分は表3－5のとおりである。

表3－5　硫酸アンモニウムの保証成分

保　証　成　分（％）	含有成分（％）	1袋20kg中の成分量（kg）
アンモニア態窒素　21.0	イオウ　24.0	4.2

硫安は，白色又は薄い灰色で水によく溶け，土に吸着されやすく，吸着された窒素は植物によく吸収される。

化学的には中性であるが，アンモニア態窒素を吸収したあと硫酸が残り土を酸性化する。

また，硫酸は石灰と結びついて石こう（硫酸カルシウム）をつくり，石灰が水に溶けなくなる。

しかし，イオウ分の不足している土やイオウを好む植物（イネ，マメ，ミカン）には効果がある。

硫安を施すときは，土のpHを調べ，必要があれば石灰質肥料を施すことも考えなければならない。

また，硫安は速効性であり，植物の吸収も早いので，過剰に施すと，土中の塩類濃度が高くなり根を傷めたり，濃い硫安の溶液が種子や新芽につくと枯れたりするので注意する。

(b) 塩化アンモニウム（塩安）

塩安は，ガラスの原料であるソーダ石灰を生産する過程で，副産物としてできたアンモニア

[*1] ハーバー法：工業的に空気からアンモニアを合成する方法で，空気と水素を混ぜ合わせ，200から1000気圧に圧縮し，鉄の酸化物を主成分とした触媒でつくる方法のこと。

[*2] 公定規格：普通肥料の品質規格で，農林水産大臣が定め，肥料成分最小量，有害成分の最大量を定めている。

を塩酸と化合させて製造する。公定規格では，アンモニア態窒素25％以上とされている。市販品の保証成分は表3－6のとおりである。

表3－6　塩化アンモニウムの保証成分

保　証　成　分（％）	1袋20kg中の成分量（kg）
アンモニア態窒素　25.0	5.0

塩安は白色の結晶で吸湿性が強く，水に溶けやすい窒素質肥料で，植物によく吸収される。塩安中のアンモニアが植物に吸収されると土に塩素が残り，酸性化を進めてしまうことがある。

塩安は，硫安より水によく溶ける速効性肥料であるが，かんがい水によって流出しやすいので，数回に分けて施すとよい。

また，土に残る塩素は植物によく吸収されるので，塩素を好むアサ，ワタなどには適した肥料であるが，イモ，タバコなどには適していない。

塩安は無硫酸根肥料なので，鉄分の少ない老朽化水田に適している。また，土を酸性にしやすいので，塩安を施す10日前に石灰質肥料をあらかじめ施しておくとよい。

塩安を他の肥料と混ぜ合わせて使うときには，湿気を吸収する前に施す。また，アルカリ性の肥料と混ぜ合わせるとアンモニアがガス化して，空気中に逃げてしまう。

(c)　硝酸アンモニウム（硝安）

硝安とは，アンモニアで硝酸を中和した肥料である。

公定規格では，アンモニア態・硝酸態窒素の両方とも16％以上とされている。市販品の保証成分は表3－7のとおりである。

表3－7　硝酸アンモニウムの保証成分

保　証　成　分（％）	1袋20kg中の成分量（kg）
窒素全量　　　　　　34.0	6.8
アンモニア性窒素　17.0	3.4
硝酸態窒素　　　　17.0	3.4

硝安は白い結晶で吸湿が非常に強いので，防湿剤を混ぜ合わせて粒状にしてあり，水に溶けやすく速効性である。硝安中のアンモニア態窒素は土に吸着されるが，硝酸態窒素は吸着されないので雨水によって流出しやすい。

硝安は硫安，塩安とは異なり，アンモニアも硝酸も植物に吸収されるので，土を酸性にしない。また，野菜，果樹，イネなどほとんどの畑・水田作物に適するが，一度に大量に施すと，雨水やかんがい水によって流出しやすいので，数回に分けて施すとよい。

わが国のように，雨が多く湿度の高いところでは，液体肥料や水耕栽培用に使用すると効果がある。また，密閉したところで硝安に火を近づけると爆発することがあるので注意する。

(d)　硝酸ソーダ（硝酸ナトリウム・チリ硝石）

硝酸ソーダは，チリから輸入しており，公定規格では硝酸態窒素15.5％以上とされている。市販品の保証成分は，表3－8のとおりである。

表3－8　硝酸ソーダの保証成分

保　証　成　分（％）	1袋20kg中の成分量（kg）
硝酸態窒素　16.0	3.2

吸湿性の極めて強い速効性肥料であり，ナトリウムを多く含むが，苦土，ホウ素，ヨウ素なども含まれ土中ではアルカリ性を示す。硝酸ソーダは硝酸態窒素であるので，水によって流出

しやすい。水田ではほとんど使用されず，ビート，タバコ，ハッカなど，窒素のほかにナトリウムを好む植物の肥料として施されている。

硝酸ソーダは吸湿性が強いので肥料袋の口を閉じておくこと，また他の肥料と混ぜ合わせないように注意する。

(e) 尿　素

尿素はアンモニアと二酸化炭素を化合させた肥料で，公定規格では窒素成分43％以上とされている。また，市販品の保証成分は，表3－9のとおりである。窒素肥料中最も窒素含有量が多く，そのまま肥料として使用するほかに配合肥料，化成肥料としても多く使用されている。

表 3－9　尿素の保証成分

保証成分（％）	1袋20kg中の成分量（kg）
窒素全量　46.0	9.2

尿素は白色の結晶で水によく溶け，吸湿性が高いので粒状にしてある。中性肥料で施してもすぐには土に吸着されないが，約2日後に炭酸アンモニウムに変わり，土に吸着されやすくなる。

尿素がアンモニウムに変わると土をアルカリ性にするが，日照量が多く，乾燥した場所ではアンモニアが硝酸に変化し，土を一時酸性にするが，硝酸が植物に吸収されるともとに戻る。

尿素は，水田，畑，果樹，花卉*などすべての植物に適するが，ハウス栽培で多量に施すと，アンモニア，酸化窒素などがガス化して作物に害を及ぼすことがある。

45ページで述べたように，尿素は葉面散布にも盛んに使用されている。

尿素を配合肥料として使用するときは，吸湿して固まってしまうので，配合したらなるべく早く使用し，残りは袋を密封して保存する。

(f) 石灰窒素

石灰窒素は，石灰石を焼いてできた生石灰にコークスを混ぜ合わせて加熱してカーバイドをつくり高温で窒素を化合させた肥料である。石灰窒素中のほとんどがシアナミド態窒素で，その他に石灰，ケイ酸，鉄などを含んでいる。

公定規格では，窒素全量19％以上，石灰などアルカリ性物質50％以上とされている。市販品の保証成分は表3－10のとおりである。

表 3－10　石灰窒素の保証成分

保証成分（％）	1袋20kg中の成分量（kg）
窒素全量　20.0～21.0	4.0～4.2

石灰窒素は，黒灰色の重い粉で特有のにおいがあり，粉状，粒状の2種類があるが，粒状の形が全生産量の70％を占めている。また，石灰窒素は水によく溶け，土中では炭酸アンモニウムに変化する。

石灰窒素に含まれているシアナミド態窒素は毒性があり，土の消毒や雑草の伸びを抑える効果がある。この毒性がなくなるのは，シアナミド態窒素が炭酸アンモニウムに変わるまで約10日間はかかる。

---

*　花卉：鉢物，球根，観葉植物など，花や葉の観賞を主にした植物のこと。

したがって，水田や畑に施してから10日以上過ぎたあとに，植物を植えるようにしなければならない。また，人間に対しても毒性があるので，施すときに肥料の粉を吸い込んだり，身体に付着しないよう慎重に取り扱う注意が必要である。

シアナミド態窒素を使用するときは，一般に元肥として水田や畑の全面に散布し，その後，耕して10日以上期間をおいてから種をまいたり，苗の植付けをする。

石灰窒素の特長は，窒素のほかに，石灰を多量に含み，酸性を中和すると同時に殺菌作用があるため便利な肥料であるが，取扱いには厳重な注意が必要である。

(g) 硝酸石灰（ノルウェー硝石）

硝酸石灰は，ドイツ，ノルウェー，スウェーデンから輸入され，公定規格では硝酸態窒素10％以上とされているが，市販品の保証成分は硝酸態窒素10～14.5％のものが多い（表3－11）。

表3－11 硝酸石灰の保証成分

保証成分（％）	1袋20kg中の成分量（kg）
硝酸態窒素　10.0～14.5	2.0～2.9

硝酸石灰は，水溶性で吸湿度が高く，苦土，ホウ素，マンガンなどを含み，さらに石灰も含まれるので土の酸性化を防止する。

(h) 腐植酸アンモニア

腐植酸アンモニアは，北海道，ノルウェー，スウェーデン，イギリスなどで産出される亜炭に硝酸，アンモニアを加えたものである。公定規格では，アンモニア態窒素4％以上とされている。市販品の保証成分は表3－12のとおりである。窒素分は5％と少ないが，窒素の働きとともに，腐植酸が作用して，わずかではあるが保肥力が高まる。

表3－12 腐植酸アンモニアの保証成分

保証成分（％）	1袋20kg中の成分量（kg）
アンモニア態窒素　5.0	1.0

(i) その他の窒素質肥料

その他の窒素質肥料には，硝酸アンモニア石灰，硝酸アンモニアソーダ，硝酸苦土肥料，副産窒素質肥料，混合窒素質肥料などがある。

(2) リン酸質肥料

無機態のリン酸質肥料のほとんどは，輸入したリン鉱石が原料である。リン鉱石はリン酸三石灰からできており，水には不溶であるが，硫酸やリン酸を作用させると，リン酸一石灰，リン酸二石灰となり，水やクエン酸に溶ける化合物となる。水溶性リン酸は水に溶けやすく速効性であるが，ク溶性*リン酸は炭酸や有機酸に溶け，緩効性である。水溶性とク溶性リン酸を合わせて可溶性リン酸という。

油かすや米ぬかなどには有機態のリン酸が含まれ，不溶性であるが，土の中で微生物の作用で少しずつ可溶性に変化し植物に吸収される。

＊ ク溶性：2％クエン酸又は，2％クエン酸アンモニウム液に溶ける。肥料では，水溶性，ク溶性，不溶性に分けて溶液になりやすい順序を分類する。

a．過リン酸石灰（過石）

過石は，リン鉱石に硫酸を反応させ，熟成したもので，灰色の粉末である。主成分は，水溶性のリン酸一石灰で，その他に少量のク溶性リン酸を含んでいる。

公定規格では，リン酸分15％以上とされているが，市販品の保証成分は16.5％～20％のものが多い（表3-13）。

表3-13 過リン酸石灰の保証成分

保証成分（％）	1袋20kg中の成分量（kg）
可溶性リン酸　　　　16.5～20.0 （うち水溶性リン酸　14.0～17.0）	3.3～4.0 （2.8～3.4）

過石には，副成分として硫酸石灰が含まれているので，イオウや石灰を供給する働きもある。

過石は，速効性であるが，黒ボク土中のアルミナによって不溶性になりやすい。

硫酸を含むので，老朽化水田や湿田には適していない。それらを防ぐためには土にできるだけ触れないように，たい肥や有機質肥料と混ぜ合わせて施し，薄く土をかぶせる。特にやせた黒ボク土では，鉄やアルミナが多いので30％くらい増量して施すことが一般的である。

b．重過リン酸石灰

重過リン酸石灰は，リン鉱石に硫酸のかわりにリン酸又はリン酸と硫酸の混合液を加えて反応させたもので，リン酸の含有量が多く，全リン酸のうち95％以上が可溶性である。

公定規格では，可溶性リン酸30％以上，そのうち水溶性リン酸28％以上とされているが，市販品の保証成分は表3-14のとおりである。

表3-14 重過リン酸石灰の保証成分

保証成分（％）	1袋20kg中の成分量（kg）
可溶性リン酸　　　　44.0 （うち水溶性リン酸　41.0）	8.8 （8.2）

重過リン酸石灰の使用法は，過石と同じであるが，硫酸が少ないので老朽化水田にも使用されている。また，土中に酸や塩を残さないので，マルチ栽培[*1]に適している。

c．熔成リン肥

熔成リン肥は，リン鉱石にカンラン石や苦土含有物を混ぜ合わせ高温で溶かしたあと，水中で急冷し細かく砕いて乾燥させたものである。

公定規格ではク溶性リン酸17％以上，アルカリ分40％以上，ク溶性苦土12％以上，可溶性ケイ酸20％以上とされているが，市販品の保証成分は表3-15のとおりである。

表3-15 熔成リン肥の保証成分

保証成分（％）	1袋20kg中の成分量（kg）
ク溶性リン酸　20.0	4.0

熔成リン肥をつくるときの原料の違いや生産されたときの形でいろいろな名称がつけられており，熔リン，粒状熔リン，BM熔リン，高度ケイ酸熔リンなどがある。

熔成リン肥中のリン酸はほとんどク溶性で，緩効性又は遅効性[*2]である。

[*1] マルチ栽培：1つのフレーム内で四季に応じていろいろな野菜や花などをつくる栽培法のこと。
[*2] 遅効性：特に定まってはいないが施肥して1か月以上過ぎてからその効果が現れる。

植物の根や土にふれると緩やかに溶け出して吸収され，また，酸性肥料である硫安，塩安などと同時に施すと，ク溶性のリン酸が溶け効果がある。

熔成リン肥をつくるとき，リン鉱石のほかにカンラン石などを混ぜ合わせるので，副成分としてケイ酸，マグネシウム，ホウ素，マンガンなどの微量要素が含まれている。

熔成リン肥は，畑や果樹園では，各種の成分が流出したところ，やせている傾斜地，開墾地，黒ボク土などに効果がある。

一般的な普通の畑では，過石と混ぜ合わせて施すと，リン酸の吸収が植物成長の全期間にわたるので都合がよい。

d．腐植酸リン肥

腐植酸リン肥は，亜炭に硝酸を加え腐植酸をつくり，熔成リン肥，重過リン酸石灰を混ぜ合わせ，顆粒状，粒状にしたもので，公定規格では腐植酸35％以上，ク溶性リン酸15％以上，水溶性リン酸1％以上とされている。

腐植酸リン肥には，苦土，石灰，ケイ酸などが含まれ，畑作物のほとんどに適している。また，黒ボク土，洪積土などのうち，不良な土には効果がある。

e．焼成リン肥，重焼リン肥

焼成リン肥は，リン鉱石にソーダ灰，けい砂，芒硝（硫酸ナトリウム），リン酸などを混ぜ合わせて焼いてつくった肥料である。

灰黒色の粒状でク溶性リン酸と水溶性リン酸を半分ずつ含み，リン酸の総量は全体の30％である。リン酸のほかに苦土，マンガンを1～2％，ホウ素を0.05％含んでいる。

重焼リン肥は，ク溶性と水溶性リン酸を含んでいるので，熔成リン肥と同じように，成長全般に効果がある。

重焼リン肥を施すときは，元肥として使用する。その際には畑全体に施すより溝肥としたほうが効率がよい。

リン酸肥料に苦土が混ざっていると，吸収率が高くなるので，最近では苦土重焼リン肥の消費量が多くなっている。

f．苦土過リン酸

苦土過リン酸は，過石にカンラン石など苦土を含む岩石を加え，さらにリン酸や硫酸を加えたもので，公定規格では，ク溶性リン酸15％以上，ク溶性苦土3.5％以上とされている。

苦土過リン酸は，植物の初期によく効く肥料で，元肥として施すと効果がある。

g．その他のリン酸肥料

その他のリン酸肥料には，混合リン酸肥料，副産リン酸肥料，高濃度リン酸肥料などがある。

（3）カリ質肥料

カリ質肥料の原料はカリ塩の鉱石で，主としてヨーロッパ，アメリカから輸入している。カ

リの鉱石を硫酸又は塩酸で処理すると，カリ含有量50％以上の肥料が得られる。

カリ質肥料は水によく溶け，速効性であるが，土中に硫酸，塩酸が残り土の酸性化を進めてしまう。

有機物のたい肥やイネわらなどにも多く含まれているが，戸外で有機物質の肥料をつくると，カリはほとんど流出してしまう。

a．硫酸カリ（硫加）

以前は硫酸カリのほとんどを輸入していたが，最近は国内で塩化カリを硫酸又は硫安で処理してつくったものが多く使用されている。公定規格では，水溶性カリ45％以上とされているが，市販品の保証成分は表3－16のとおりである。

表3－16　硫酸カリの保証成分

保証成分（％）	1袋20kg中の成分量（kg）
水溶性カリ　50.0	10.0

カリ質肥料は，化学的には中性で，ほかのどの肥料とも混ぜ合わせることができる。また，粘土がカリを保持し，速効性で元肥，追肥にも使用できるが，硫酸が50％残り，酸性度を高める。

カリ質肥料は，すべての作物によく吸収されるが，サツマイモ，ジャガイモ，イネなどデンプン質の作物には，特に効果がある。

しかし，一度に多量に施すと，苦土の吸収を妨げるので，生育の状況を観察しながら数回に分けて施すとよい。

b．塩化カリ（塩加）

塩化カリは，ドイツなどで生産するカリの鉱石を水で溶かし，再び結晶させたものが使用され，白色，灰色，桃色をしており吸湿性が強い。公定規格では，水溶性カリ50％以上とされているが，市販品の保証成分は表3－17のとおりである。

表3－17　塩化カリの保証成分

保証成分（％）	1袋20kg中の成分量（kg）
水溶性カリ　60.0	10.0

カリが粘土や植物に吸収保持されると，土中に塩素が残り酸性を強めることがある。土中に残る塩素は，不溶性リン酸を水溶性にする効果があるが，石灰や苦土を溶かし流出させる性質も強いので注意する。

塩化カリは，ほとんどの作物に適するが，特に繊維作物に適している。また，元肥，追肥に使用されているが，吸湿性が強いので，肥料を入れる容器をよく乾燥させておき，雨天の日には施さないようにする。

水田では，イネの生育後期に施すと，風害による倒伏が少なくなる。

c．炭酸カリ・重炭酸カリ

炭酸カリは，水酸化カリ溶液に二酸化炭素を通し，生成した炭酸カリ溶液の水分を蒸発させた無色の結晶で，市販品の保証成分は表3－18のとおりである。

炭酸カリは，吸湿性が強いので貯蔵に注意が必要で，袋を開けたら早く使いきるようにする。また，湿気を吸うと強いアルカリ性を示すので，身体に触れないよう注意する。硫酸カリや塩化カリとは異なり，施用後に土の酸性を強めない。

表3-18 炭酸カリの保証成分（例）

保証成分（%）	1袋20kg中の成分量（kg）
ク溶性カリ　　　30.0	6.0
（うち水溶性カリ　20.0）	(4.0)
ク溶性苦土　　　3.0	0.6

草木灰にも炭酸カリの形で含まれており，日本で輸入する草木灰は，主にフィリピンのヤシの実から油をとったあと，焼いたものが多い。

草木灰は，価格が高いので消費は少ないが，土中に酸が残らないので，マルチ栽培には今後需要が多くなると思われる。また，灰類の種類と成分例は，表3-19のとおりである。

表3-19 灰類の種類と成分（%）

種類	有機物	カリ全量	リン酸全量	石灰全量
草木灰	8.2	7.5	3.7	11.7
木灰	4.8	7.4	3.9	19.6
ワラ灰	8.8	5.6	3.4	1.8

草木灰にはカリのほか，苦土，ホウ酸，ケイ酸，マンガンなどが含まれており，微量要素の補給にも効果がある。

炭酸カリは，アルカリ性の強い肥料であるので，硫安，塩安，硝安，過石のような酸性肥料と混ぜ合わせると，窒素が気体化して逃げてしまうことがある。

重炭酸カリの成分は，水溶性カリとして45％含んでおり，炭酸カリと性質はほとんど変わらない。

d．腐植酸カリ

腐植酸カリは，亜炭，褐炭を硝酸で処理し，重炭酸カリ，水酸化カリ，水酸化苦土などで中和した粒状の肥料である。

カリは水によく溶け，流出し失われることが多い。腐植酸カリはこの欠点を補った肥料で，市販品の保証成分は表3-20のとおりである。

表3-20 腐植酸カリの保証成分

保証成分（%）	1袋20kg中の成分量（kg）
水溶性カリ　10.0	2.0

腐植中に含まれているフミン酸*や，硝酸と化合したニトロフミン酸*は，窒素やカリを保持し，これらが流出するのを防ぐので，窒素の化学肥料と混ぜ合わせて使用すると効果が高くなる。また，土中の鉄やアルミナと結合する性質があるので，黒ボク土などではリン酸の不溶化を防ぐ働きもある。

腐植酸カリには，土の団粒化を助け，特にイネ，ムギ，野菜，果樹，茶などに効果がある。

e．ケイ酸カリ

石炭灰を焼成すると水に不溶であったケイ酸が水溶性に，カリがク溶性に変化する。ク溶性のカリは，緩効性となり緩やかに効果が続く。

＊　フミン酸，ニトロフミン酸：腐植が進むとできる有機酸で陽イオンの保持量が大きい。

ケイ酸カリは，炭酸カリ，水酸化カリ，水酸化苦土と微粉炭の燃焼灰（石炭灰）と混ぜ合わせ800～900℃で焼成したもので，白色で吸湿性はほとんどない。市販品の保証成分は表3－21のとおりである。

表3－21 ケイ酸カリの保証成分

保 証 成 分（％）		1袋20kg中の成分量（kg）
ク溶性カリ	20.0	4.0
水溶性カリ	10.0～18.0	2.0～3.7
（製品により水溶性カリを含まないものもある）		
可溶性ケイ酸	20.0～30.0	4.0～6.0
ク溶性苦土	3.0～5.0	0.6～1.0
ク溶性ホウ素	0.05～0.1	0.01～0.02

ケイ酸カリ中のケイ酸はイネの根と茎によく吸収され，ゴマはがれやいもち病などに対して抵抗力をつくりだす。畑では収量の増収，鮮度の保持に効果があり，特に花卉類の鮮度を保つ働きが強い。

植物の栽培期間が150日以上にわたるときは，施用量の半分を元肥，半分を追肥とするのが望ましい。栽培期間が150日以内の野菜類には効果が薄く，速効性の硫加や塩加を施すのがよい。

f．その他のカリ質肥料

その他のカリには，

① 液体カリ：イネの倒伏を防ぐ
② 粗製カリ塩：苦汁を濃縮した肥料
③ 加工苦汁カリ塩：粗製カリ塩に石灰を加えた肥料
④ 副産カリ肥料：食品，繊維工業の副産物

がある。

（4）有機質肥料

農業が始まって以来，有機質肥料は世界中で使用されてきたが，化学肥料が生産されるようになり，有機質肥料の消費量は減少してきた。しかし有機質肥料は，土の改良や鉢物の栽培などには欠かせない肥料であり，化学肥料と合わせて使用され，一般に緩効性，遅効性である。

有機質肥料には，次のようなものがある。

a．油かす

油かすには，ナタネ，ダイズ，綿実，ゴマ，ラッカセイなどの絞りかすがあり，これらは三要素を含み，ややリン酸が不足がちではあるが，効きめは大きく，鉢物に多く使用されている。油かすを大量に施したり，積んでおいたりすると，発酵し悪臭を発する。

(a) ナタネ油かす

ナタネ油かすは，ナタネ種子を炒って蒸し，さらにエーテル溶剤で油分を抽出＊した黄褐

色，黒褐色の残りかすで，市販品の三要素の保証成分は表3-22のとおりである。

表3-22 ナタネ油かすの保証成分

保証成分（％）	1袋37.5kg中の成分量（kg）
窒　素　　6.0～5.0	2.25～1.88
リン酸　　2.0	0.75
カ　リ　　1.0	0.38

窒素のほとんどは，コリンタンパクに含まれ，土中でアンモニアになるまでに3週間かかる。ナタネ油かすが土中に施されると，酪酸（らくさん），ロイシン，ケシ油，コリンなどが生成され，特にケシ油は，植物の成長を促進させ，有害な微生物の増加を抑える効果もある。また，酪酸はコリンからのアンモニア化を遅くするので，ますます遅効性になる。

ナタネ油かすに水を加えて発酵させたものを追肥に使用することがあるが，この方法では有機物や窒素の損失が多い。

(b) ダイズ油かす

ダイズ油かすは，ダイズから油を絞り取った残りかすで，市販品の三要素の保証成分は表3-23のとおりである。

表3-23 ダイズ油かすの保証成分

保証成分（％）	1袋37.5kg中の成分量（kg）
窒　素　　7.0～6.0	2.63～2.25
リン酸　　2.0～1.0	0.75～0.38
カ　リ　　2.0～1.0	0.75～0.38

窒素は，コリンやアルギニンの形で含まれており，施肥1週間後にはアンモニア態に変化する。したがって，油かすの中では速効性といえる。

ダイズ油かすは，すべての植物に適するが，施すとすぐに多量のアンモニアが発生するので，発芽期に害を与えることがある。

ハウス内で使用するときは，高温，多湿であると急激な分解でアンモニアガスの害を起こすので，室内の換気に注意しなければならない。また，肥料分としては，窒素が主成分で，リン酸，カリが少ないので，必要に応じて過石や硫加，塩加を補う。

b．骨粉

骨粉の成分は，リン酸三石灰がほとんどで，窒素が少し含まれている。骨粉中のリン酸は水に溶けにくいが，根から出る有機酸に少しずつ溶け，遅効性で効きめは大きい。

c．鶏ふん

鶏ふんは，有機質肥料の中では，油かすと同じくらい使用されており，鶏一羽で年間18kg前後の乾燥したふんが生産される。

鶏ふんは，飼料によって三要素の割合が異なるが，だいたい窒素3％，リン酸3％，カリ1％を含んでおり，窒素は速効性，リン酸は遅効性で，油かすなどと比較すると，リン酸の含量が多い。

特に鶏ふんは，たい肥と混ぜ合わせて使用すると効きめが早く，鉢物などではどの植物にも効果があるが悪臭を発する。

＊　抽出：ナタネの場合は，エーテルなどで含まれている油分を溶かし出すこと。

（5）石灰質肥料

　石灰質肥料には，生石灰（酸化カルシウム），消石灰（水酸化カルシウム），炭酸石灰などがある。肥料として土に施すと空気中の二酸化炭素と反応し，すべて炭酸石灰となり，水に溶けにくくなるが，二酸化炭素が溶けた酸性の水には少しずつ溶ける。

　植物体内で石灰は酸度の調整に使用されているが，肥料として施すのは土の酸性を中和するためである。

　中性の土では肥料分を保持する力，リン酸の吸収，微生物の活動による有機物の分解，団粒構造の形成などが盛んに行われる。

　石灰の施肥量を増すと，苦土が不足するようになるので，石灰と同時に苦土も施すと，より効果がある。

a．苦土石灰

　市販されている苦土石灰は，石灰石を細かく砕き，ドロマイト（白雲石）を加えた苦土炭カルとしたものが多い。公定規格では石灰53％以上で，このうち苦土5％以上とされている。

　炭酸石灰は生石灰，消石灰と同じように，酸性土を中和し，石灰質肥料の中では品質が安定しており，水や二酸化炭素と反応することもない。

　緩効性石灰質肥料で，アルカリ性も弱いので，他の肥料と混ぜ合わせたり，施したあとすぐに播種，移植などを行っても害にならない。施したあと，土とよく混ぜ合わせることは，ほかの石灰質肥料と同じである。

b．生石灰

　生石灰は，石灰石を高温で焼いた肥料で，公定規格は石灰80％以上とされている。

　空気中から湿気を吸収して消石灰に，二酸化炭素を吸収して炭酸石灰になり，固まってしまうので密封して保存しなければならない。また，強アルカリ性で，水をかけると激しい発熱があるので，取扱いには十分注意しなければならない。

　使用するときは，アンモニアを含む肥料，リン酸質肥料などと混ぜ合わせたり，種子や苗に直接触れさせたりせず，生石灰を施したら土とよく混ぜ合わせ，7～10日後に種子をまいたり，苗を植える作業にかかるとよい。

c．消石灰

　消石灰は，生石灰に水を加え，発熱を防いだ肥料で，公定規格では，有効石灰分として60％以上とされている。

　消石灰も生石灰と同じように，土の酸性中和に使用されるが，目安として生石灰の1.4倍施すことが必要である。生石灰や消石灰には苦土が含まれていないので，苦土質肥料を併用するとよい。

d．その他の石灰質肥料

その他の石灰質肥料には，

① 副産石灰質肥料：金属精錬，貝殻細工，アセチレン製造，砂糖漂白などのときに生じる副産物
② 混合石灰質肥料：石灰質肥料に苦土肥料，ホウ素質肥料を混ぜ合わせたもの。
③ 貝化石肥料：古代（500～2400万年前）の貝化石粉

などがある。

（6）ケイ酸質肥料

ケイ酸質肥料は，水田，特に老朽化水田や黒ボク土に施すと効果がある。また，オオムギやキュウリなどに発生するうどんこ病などに抵抗力が現れる。ケイ酸質肥料はアルカリ性なので，酸性土の中和にも役立つ。

a．鉱さい（滓）ケイ酸質肥料（ケイカル）

鉱さい*ケイ酸質肥料は，鉄鉱さい，マンガン鉱さい，苦土鉱さいなどにリン鉱さいなどを混ぜ合わせて粉砕加工して，品質を一定にしたものである。

公定規格は可溶性ケイ酸10％，アルカリ分30％，苦土，マンガンがそれぞれ1％以上とされている。ケイ酸肥料の主な原料と成分は，表3－24のとおりである。

表 3－24　ケイ酸質肥料の主な原料と成分

原料（すべて鉱さい）	ケイ酸	石　灰	苦　土	マンガン
鉄	30.0～40.0	35.0～45.0	3.0～7.0	0.3～1.7
マグネシウム	29.0～33.0	50.0～55.0	8.0～12.0	0.1～0.3
リン酸	40.0～45.0	48.0～50.0	0.2～0.4	－
ニッケル	50.0～51.0	8.0～12.0	20.0～26.0	－

ケイカルは，水田によく施され，一般の水田にも，老朽化水田にも効果が認められている。その効果は，葉茎が強くなるだけでなく，窒素の吸収を盛んにし，病虫害に対する抵抗力を強くする。また，アルカリ性肥料であるので土壌改良にも役立つ。

畑，果樹園では，ケイカル中のマグネシウム，マンガンなどの要素を補うことと，アルカリ性による酸性土を中和する働きの2つがある。

b．その他のケイ酸質肥料

その他のケイ酸質肥料には，ケイ灰石肥料，軽量気泡コンクリート粉末肥料などがある。

（7）苦土肥料（マグネシウム肥料）

苦土は葉緑素をつくる重要な要素で，リン酸の吸収を助ける働きもある。苦土が欠乏すると下葉から上葉に向かって黄色に変色する。また，土が酸性になると，苦土が不足してくる。

---

* 鉱さい：鉄，マンガン，マグネシウムなどの鉱石から必要成分を取り去ったかす。

a．硫酸苦土（硫マグ）

硫酸苦土は，苦土肥料の中ではただ1つ水に溶ける速効性肥料である。また，製塩の副産物である苦汁から結晶させたり，天然硫酸苦土鉱さいの精製などでつくられる。公定規格では，水溶性苦土11％以上とされている。

硫酸苦土は，速効性であるが土を酸性にするので，土のpHに注意し，石灰質肥料を同時に用いて中和する必要がある。0.5％〜2％の薄い水溶液で葉面散布を行うこともある。

b．水酸化苦土肥料（水マグ）

水酸化苦土肥料の製法は，「にがり」に消石灰水溶液（石灰乳）を加え，沈殿させる方法と，海水に直接石灰乳を混ぜ合わせる方法とがある。公定規格では，ク溶性苦土50％以上とされている。

水酸化苦土肥料は，ク溶性であるので緩効性で元肥として土全体に混ぜるように施す。また，栽培期間の長い野菜，果樹に効果がある。土中で苦土が不足していない場合でも，カリが必要以上にあると苦土欠乏の症状が現れることがある。

c．その他の苦土肥料

その他の苦土肥料には，加工苦土肥料，腐植酸苦土肥料，酢酸苦土肥料，炭酸苦土肥料，リグニン苦土肥料，副産苦土肥料，混合苦土肥料などがある。

(8) 微量要素肥料

a．ホウ酸塩肥料

ホウ酸塩肥料は，ク溶性ホウ素35％を含む肥料である。施用量は10a当たり200〜400gと少なく，均一に施すことが困難であるので，ほかの肥料と混ぜ合わせて施すのが普通である。また，1〜2％水溶液で葉面散布にも使用されている。

b．マンガン肥料

マンガン肥料は，硫酸マンガンを主成分にしたものが多く，0.2〜0.5％溶液にして葉面から吸収させることもある。老朽化水田，黒ボク土の畑，有機物施肥が少なく，降水量が少ないときなどにマンガンの不足が起こる。マンガンが不足すると，葉がしま状又はまだら状に黄化する。

(a) 硫酸マンガン

硫酸マンガンは，写真現像液の廃液やマンガン鉱石からつくる。

土が中性からアルカリ性になると，マンガンが不溶性になるので，酸性肥料に硫黄華*（いおうか）を混ぜ合わせて施すと効果がある。

硫酸マンガンは，イネ，ムギ，野菜，果樹の元肥として施す。また，葉面散布の肥料としても使用され，0.1〜0.3％の水溶液として野菜，果樹に散布される。

市販品のマンガン肥料の保証成分は，平均して約20％である。

＊　硫黄華：硫黄の粉末で，温泉の硫黄の気体を冷やしてとる。

(b) その他のマンガン肥料

その他のマンガン肥料には，加工マンガン肥料，鉱さいマンガン肥料，炭酸マンガン肥料などがある。

これらは，イネ，ムギ，野菜，果樹に施され，保証成分は20％前後である。

c．混合微量要素肥料

混合微量要素肥料は，マンガン，ホウ素，苦土肥料を混ぜ合わせた肥料で，マンガン，ホウ素の合計量が8％以上保証されている。

(9) 複合肥料

これまでに学んだように肥料としては三要素をはじめ，いくつかの要素を施す必要がある。

2種類以上の単性肥料[*1]を混ぜ合わせたり，化学反応によって三要素のうち2種類以上の要素が含まれるようにした肥料を複合肥料という。

複合肥料には，植物に必要な三要素のうち，2～3種類が含まれているので，省力(しょうりょく)[*2]という意味では，便利な肥料である。

市販品の複合肥料には，次のような特長がある。

① 形状が粉，粒，錠剤，豆炭状，液体であるので施しやすい。
② 湿気を吸収しにくく，固まったり，流出したりしないように工夫されている。
③ 一般に緩効性で，ゆっくり長く効くよう工夫されているので，元肥に利用される。

また欠点としては，割高であるのと，植物が要素によって吸収する時期が異なるので，肥料の損失などがある。

したがって，複合肥料を使用するときは，植物の種類や土質をよく理解したうえで，選ぶことが大切である。

a．配合肥料

単性肥料を混ぜ合わせてつくった肥料を配合肥料といい，普通配合肥料，有機質配合肥料，尿素配合肥料，塩基性配合肥料，固形配合肥料，液体配合肥料の6種類がある。これらは，単性肥料として使用されている硫安，尿素，過石，塩化カリと有機質肥料を，植物の種類，気候，土の条件，単性肥料の性質を考えて配合したものである。

表3-25 肥料配合表

	硫安	石灰窒素	塩安	尿素	油かす・魚肥	過リン酸石灰	熔成リン肥	硫酸カリ	塩化カリ	消石灰	炭酸石灰	草木灰	たい肥類
硫　　　安		●	△	△	○	○	○	△	○	●	●	△	△
石 灰 窒 素	●		●	●	●	●	○	○	○	●	●	●	●
塩　　　安	△	●		○	○	○	○	○	○	●	●	●	△
尿　　　素	△	●	○		○	△	○	●	○	○	△	△	○
油かす・魚肥	○	●	○	○		○	○	○	○	△	○	△	○
過リン酸石灰	○	●	○	△	○		△	○	○	●	●	●	○
熔成リン肥	○	○	○	○	○	△		○	○	○	○	○	●
硫酸カリ	△	○	○	●	○	○	○		○	○	○	○	○
塩化カリ	○	○	○	○	○	○	○	○		○	○	○	○
消　石　灰	●	●	●	○	△	●	○	○	○		○	○	△
炭酸石灰	●	●	●	△	○	●	○	○	○	○		○	△
草　木　灰	△	●	●	△	△	●	○	○	○	○	○		●
たい肥類	△	●	△	○	○	○	●	○	○	△	△	●	

○配合してよい　△使用直前に配合してよい　●配合してはいけない

（農林水産省「ポケット肥料要覧」による）

[*1] 単性肥料：三要素のうち1つの要素が主に含まれている肥料をいう。
[*2] 省力：施肥をする労力を省く。人手不足，老齢化の時代には，大切なことである。

自分で配合肥料をつくる場合は，化学反応による分解，不溶化，湿気の吸収などがあるので，混ぜ合わせる前に肥料の性質を知っておくことが大切である（表3-25）。

(a) 普通配合肥料

普通配合肥料には，粉状と粒状があり，硫安，塩安，尿素，石灰窒素，過石，塩化カリ，硫酸カリなど，単性肥料を混ぜ合わせたもので，一般的には粉状である。地域，土の性質，植物の種類によって普通配合肥料の成分を変えることができ，硫安系，塩安系，尿素系，石灰窒素に分けて取り扱う。製造設備も簡単で，原料があればいつでも配合でき効果があげられ，手作業によって自家配合もできる。

(b) 有機質配合肥料

有機質配合肥料は，単性肥料に魚かす，骨粉など動物性の有機質肥料を配合したもので，植物の種類に適する肥料を選ぶことが大切である。一般には収益の上がる野菜，果樹に使用されている。

(c) 固形配合肥料

固形配合肥料には，バルク・ブレンド肥料（ＢＢ肥料）といわれるものが多く使用され，主な原料は，硫安，塩安，尿素，硝安，リン酸アンモニウム（リン安），重過リン酸石灰，塩化カリ，硫酸カリである。

バルク・ブレンドの意味は，植物，土，気候に適するように配合した肥料をいうので，種類は非常に多い。

b．化成肥料

化成肥料とは，配合肥料のように原料を混ぜ合わせるだけでなく，化学的に反応させた肥料で，三要素の2種類以上を含む。保証成分の合計量が15～30％未満を普通化成肥料，30％以上を高度化成肥料という。

(a) 普通化成肥料

普通化成肥料の製造法には，配合式とむろ式の2種類がある。

配合式は，過石を基にして，窒素源として硫安又は尿素を，カリ源として硫酸カリ又は塩化カリを結合させた肥料で，植物の種類によってさまざまな配合比がある。

むろ式は，リン鉱石の粉に石灰窒素と硫酸を加えて反応させ，さらに硫安，リン安，尿素，カリ塩（塩化カリ又は硫酸カリ）を加え，アンモニアで中和させる。配合式と比較すると，有機質肥料のように効きめが長く続く。

化成肥料は，配合肥料と同じように省力を1つの目的とした肥料であるので，野菜などを栽培するとき，土中に消費されなかった要素が残りやすい。したがって，残量のないよう成分計算を正確にする必要がある。

1）硫安系

硫安系化成肥料は，硫安，過石，塩化カリを加え，過石中に含まれたリン酸をアンモニア

で中和し，さらにコーティング剤（薄いビニール膜で覆う）で潮解性*を少なくしてある。窒素，リン酸，カリのいずれも速効性である。

使用法は配合肥料と同じであるが，硫酸が残る酸性肥料なので，土の酸性化に注意し苦土石灰などで中和することが必要である。市販品の保証成分は表3－26のとおりである。

表3－26　硫安系化肥料の保証成分（例）
(％)

肥料例＼成分	窒素	リン酸	カリ
硫　安　系　A	8.0	14.5	8.0
硫　安　系　B	8.0	9.0	7.0
硫　安　系　C	3.0	18.0	10.0

2）尿素系

尿素系化成肥料は，窒素分として，硫安，尿素が含まれており，過石，塩化カリを混ぜ合わせ，過石中のリン酸をアンモニアで中和したものである。

窒素分として速効性のアンモニアと尿素，リン酸分として過石中の水溶性とク溶性リン酸を含み，尿素が炭酸アンモニウムに変わるまで3～4日を要するので，速効性成分と，緩効性成分を含むので長期間にわたって効果がある。市販品の保証成分は表3－27のとおりである。

表3－27　尿素系化成肥料の保証成分（例）
(％)

肥料例＼成分	窒素	リン酸	カリ
尿　素　系　A	12.0	8.0	6.0
尿　素　系　B	17.0	8.0	5.0
尿　素　系　C	15.0	3.5	15.0

3）硝安系

硝安系化成肥料は，硝安，過石，カリ塩が主な原料で，一部有機態窒素が含まれているものもある。野菜，果樹，茶などに適している。

4）石灰窒素系

石灰窒素系化成肥料は，リン鉱石に石灰窒素を混ぜ合わせ，硫酸を加えて反応させ，さらに硫安，尿素，カリ塩を加えて粒状にしたものである。

石灰窒素中の成分であるジシアンジアミドは，硝酸化を抑えて，窒素が流出するのを防ぎ，傾斜地や砂地などの肥もちの悪いところなどで効果が大きい。また，副成分に硫酸カルシウム（石こう）を含むので，石灰とイオウが肥料として役立つ。

5）有機入り化成肥料

有機入り化成肥料は，有機態窒素を含む肥料で，硫安系，尿素系に配合されたものが多い。また，有機質の原料としては，ナタネ油かすなどで，有機態窒素は1％くらいである。

(b) 高度化成肥料

高度化成肥料とは，三要素の含有率の合計が30％以上のものをいい，普通化成肥料をより省力的にした肥料で，多くの種類があり，肥料としての効果もそれぞれ特長がある。高度化成肥料の一覧は，表3－28のとおりである。

＊　潮解性：空気中の水蒸気を吸収して，べとついてしまう性質。

表 3-28 高度化成肥料一覧

種類	主な成分の形
硫リン安系	硫安，リン安，塩化カリ，硫酸カリ
尿素硫リン安系	尿素，硫安，リン酸アンモニア，塩化カリ
苦土リン安系	硫安，苦土リン安，塩化カリ
尿素系	尿素，硫安，リン酸アンモニア，塩化カリ
石灰窒素変成系	グアニル尿素，ジシアンジアミド等の尿素，硫酸塩，アンモニア，カリ塩

※ リン酸…リン酸一カルシウムとリン酸二カルシウム
　苦土リン安…リン酸アンモニウムマグネシウム
　グアニル尿素…ジシアンジアミジンともいい，グアニル酸と尿素が化合したもの

1) 硫リン安系

硫リン安系化成肥料は，硫酸とリン酸を混ぜ合わせた酸に，アンモニアを反応させて硫リン安をつくり，塩化カリ又は硫酸カリを加えて粒状にしたものをいう。

窒素，リン酸，カリとも水溶性で速効性である。ただし，硫酸又は塩酸が土中に残り酸性になるので，石灰質肥料を混ぜ合わせて使用する必要がある。

また，単性肥料や普通化成肥料と比較すると成分含有量が高いので施す量が少なくてすむ。

保証されている含量は，三要素の合計が35%以上で40%前後のものも多い（表3-29）。

表 3-29 硫リン安系化成肥料の保証成分（例）
(%)

肥料例＼成分	アンモニア	リン酸	カリ
硫リン安系A	14.0	24.0	14.0
硫リン安系B	10.0	35.0	15.0
硫リン安系C	10.0	24.0	15.0

高度化成肥料は，他の肥料より三要素の含有量が高いので，施用量に注意しないと効きめが大きすぎて過剰施肥*になりやすい。

2) 尿素硫リン安系

尿素硫リン安系化成肥料は，硫リン安に尿素とカリ塩を加えて粒状にした肥料で，高度化成肥料のなかでも窒素含有量が最も多く，50%に達するものもあり，省力的な肥料である。また，尿素が多いので，吸湿性がある。尿素硫リン安系の保証成分は，表3-30のとおりである。

表 3-30 尿素硫リン安系化成肥料の保証成分（例）
(%)

肥料例＼成分	窒素	リン酸	カリ
尿素硫リン安系A	15.0	17.0	15.0
尿素硫リン安系B	16.0	28.0	16.0
尿素硫リン安系C	20.0	8.5	6.0

尿素硫リン安系は，硫リン安系と比較すると硫酸が少ないので，土を酸性化することも少ないが，種子や苗に直接触れると芽が出なくなったり，枯れたりすることがある。また，成分含有量が高いので，ハウス栽培などではガス障害を起こすことがある。

3) 塩リン安系

塩リン安系化成肥料は，リン酸にアンモニアを反応させ，これに塩化アンモニウムと塩化カリを加え粒状にした肥料である。塩リン安系は，すべて水溶性であるが，塩素分（土中で塩酸に変化する）40%を含む。また，硫酸分が2～3%と少ないので，老朽化水田や湿田に

---

* 過剰施肥：肥料を施しすぎて，植物が柔らかくなり，病害にかかりやすくなる。

使用されるほか，ムギ，イグサ，牧草，野菜，果樹，花木などに広く使用されている。塩リン安系の保証成分は，表3-31のとおりである。

なお，塩リン安系の肥料は，化成肥料の中で最もかたいので，肥料散布用の機械で施すのに適している。

表3-31 塩リン安系化成肥料の保証成分（例）
（％）

肥料例＼成分	窒 素	リン酸	カリ
塩リン安系A	14.0	25.5	14.0
塩リン安系B	10.0	24.0	16.0
塩リン安系C	15.0	8.5	15.0

4）その他の高度化成肥料

・苦土リン安系

苦土リン安系の高度化成肥料は，保証成分として，アンモニア態窒素10～12％，リン酸全量12～20％，カリ11～20％，苦土3～4％が含まれている。肥料の効き方に持続性があるので，元肥として水田，畑に施される。

・リン加安系

リン加安系肥料に含まれている窒素，カリはすべて水溶性で，リン酸も半分は水溶性であるので，元肥，追肥の両方に効果がある。

また，三要素の合計が40～45％で省力的であるが，吸湿性があるので固まる欠点がある。

その他には，尿素リン加安系，硝リン加安系，リン硝安系，尿素系などがある。

(c) 二成分複合化成肥料

二成分複合化成肥料は，窒素とカリを含むもの（ＮＫ化成）と，リン酸とカリを含むもの（ＰＫ化成）がある。

1）ＮＫ肥料

ＮＫ肥料は，リン酸を元肥として施し，窒素とカリを追肥として施す肥料である。

2）ＰＫ肥料

ＰＫ肥料には，リン酸，カリのほかに苦土，マンガン，ホウ素，石灰，鉄，ケイ素などが含まれるため，砂質，黒ボク土のほか，開墾地，新しく開かれた水田に効果がある。

窒素を含まない肥料のため前年又は以前の作物に窒素を与えすぎたり，乾土効果によって窒素が多く田畑に残っている場合に元肥として使用される。

4.2　緩効性普通肥料

緩効性普通肥料は肥効調節型肥料ともいわれる。肥料の効きめを調節できるようにした肥料で，被覆肥料，化学合成緩効性肥料，硝化抑制剤入り化成肥料の3種類がある。

（1）被覆肥料

被覆肥料は，水によく溶ける肥料を，イオウや合成樹脂の膜で覆い，その膜の種類や厚さで，溶け出す時期や量を定める肥料で，かなり正確に調整できる。

植物が成長するとき，その途中で要求する要素の時期や量が異なる。したがって，種類と量

を節約できれば省力化に役立ち，流出する肥料の節約にもなる。

また，ハウス栽培では，土に養分が蓄積しにくいため塩類障害を起こしにくい。

種類としては，被覆尿素などいろいろな被覆肥料がある。

(2) 化学合成緩効性肥料

化学合成緩効性肥料は，水に溶けにくく，微生物の分解も受けにくいので，土中で長期間ゆっくり効いていく。市販品の保証成分は，表3-32のとおりである。

表3-32 化学合成緩効性肥料の保証成分（例）
(％)

肥料例＼成分	窒　素	リン酸	カ リ
化学合成緩効性肥料A	20.0	5.0	14.0
化学合成緩効性肥料B	20.0	10.0	13.0

現在使用されているものは，尿素をベースにした化学組成を持つ肥料が多く，化学合成緩効性肥料に速効性肥料を混ぜ合わせ，肥料の効き方として，油かすのような有機質肥料によく似た形につくられている。

肥料の効き方を調整するには，粒の大きさを変える。

化学合成緩効性窒素質肥料には，次のようなものがある。

a．IB肥料（イソブチリデン2尿素）

IB肥料*は，石油化学工業の副産物からできている。吸湿性が低く，耐水性があり，肥料の粒が硬いので，水に溶けにくく，土の中でゆっくりと尿素に変化する。また，イネ，レンコン，果樹，茶，クワ，イグサなどに効果がある。市販品の保証成分は，表3-33のとおりである。

表3-33　IB肥料の保証成分　（例）
(％)

肥料例＼成分	窒　素	リン酸	カ リ
IB肥料A	15.0	5.0	15.0
IB肥料B	10.0	10.0	10.0
IB肥料C	10.0	2.0	10.0

b．ウレアホルム肥料

ウレアホルム肥料は，尿素（ウレア）とホルムアルデヒドの化合物で，土中のpHや温度などの条件により，微生物の分解速度が異なり，少しずつゆっくりと尿素に変化する。

公定規格では，窒素全量が35％以上とされている。

c．グアニル尿素肥料

グアニル尿素肥料は，石灰窒素中のシアナミド態からつくられた肥料で，土中での分解する経過はよくわかっていないが，土中での分解が遅く，水田ではやや速い。市販品の保証成分は，表3-34のとおりである。

表3-34　グアニル尿素肥料の保証成分　（例）
(％)

肥料例＼成分	窒　素	リン酸	カ リ
グアニル尿素肥料A	10.0	21.0	10.0
グアニル尿素肥料B	16.0	5.0	16.0

(3) 硝化抑制剤入り化成肥料

硝化抑制剤入り化成肥料は，地中から最も流出しやすい硝酸態窒素に変化するのを防ぐ目的でつくられた肥料である。市販品の保証成分は，表3-35のとおりである。

表3-35　硝化抑制肥料の保証成分（例）
(％)

肥料例＼成分	窒　素	リン酸	カ リ
硝化抑制肥料A	8.0	10.0	6.0
硝化抑制肥料B	9.0	12.0	12.0
硝化抑制肥料C	20.0	12.0	12.0

＊　IB肥料：イソブチルアルデヒドからできたイソブチルアルデヒド縮合尿素肥料をいう。

化学肥料や有機質肥料は，土中に施されると，微生物によって最終的には硝酸態窒素になり流出してしまう。そこで，できるだけ硝酸化を防ぎ，アンモニア態窒素として残すのが，この肥料の特性である。

ただし，植物の中には硝酸態窒素を好むものや，成長の途中に硝酸態窒素が多く必要なものがあり，抑制期間は30日とされているものが多い。

硝化抑制剤としては，Ｄｄ（ジシアンジアミド）など７種類が開発されており，主に元肥として使用されている。

イネ，果樹，牧草，茶などに施すと品質のよい作物が収穫できるが，施肥の時期を間違えると逆効果になる場合もある。

4.3　特殊肥料

(1) たい肥

たい肥は，イネやムギのわら類，野草を積み，微生物によって分解された肥料である。

ワラ類や野草は，そのまま土に埋め込んでもよいが，微生物がこれを分解し，微生物自体をつくるとき，窒素を吸収するので土中で窒素不足の現象が起こる。したがって，たい肥は微生物により地上で分解させたほうが，効きめは大きい。

たい肥は，分解されるとき，70℃以上に温度が上昇するので，空気の通気性をよくし，窒素質肥料を少量水に溶かしてまくと，分解が速く進む。

たい肥の効果は，肥料成分の効きめをよくし，土を軟らかく，耕しやすくし，有機物を増やし，土の保水力を高める。特に，砂土や埴土などに効果があり，たい肥を毎年施すと，土中の腐植が増え，団粒構造が多くなり，地力を増進させる。

たい肥をつくるときは，雨水のかからない場所に積み，ときどき上下を逆転する切り返しを行うとよい。

(2) 家畜ふんたい肥

牛ふんたい肥の肥料成分は，豚・鶏ふんたい肥より少なく，効きめがゆっくりである。

(3) バークたい肥

樹皮（バーク）を主原料とするたい肥で，市販品には樹皮原料として輸入材が使われることが多い。樹皮だけではたい肥化が進まないので，窒素源として少量の硫安・尿素，鶏ふんなどを添加混合する。バークたい肥には少量の肥料成分が含まれるが，家畜ふんたい肥に比べると少ない。そのため，土の透水性や保水性を高める土壌改良資材として利用される。

4.4　その他の肥料

(1) 緑肥

緑肥は，青刈りのムギ類やレンゲ草，青刈りダイズ，ウマゴヤシ，ルーピンなど，マメ科植

物が主である。マメ科植物は，根に根粒菌を持っており，根粒菌が空気中の窒素を取り込んでタンパク質をつくり，枯死したあと，そのタンパク質が分解して植物に吸収される。

　マメ科の植物に含まれている窒素の2/3は空気中の窒素を取り込んだものといわれており，またその根は，深いところまで下ろし，深層の養分を吸い上げている。

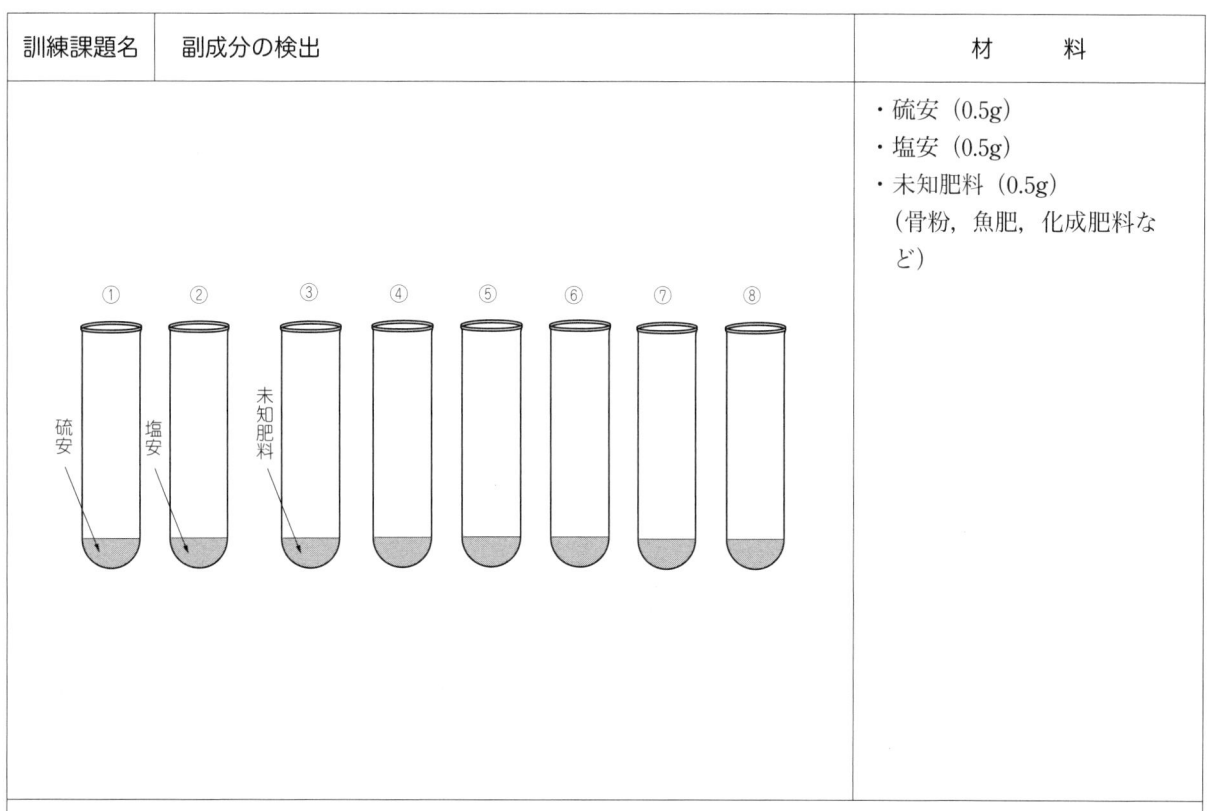

訓練課題名	副成分の検出	材　　料
		・硫安（0.5g） ・塩安（0.5g） ・未知肥料（0.5g） 　（骨粉，魚肥，化成肥料など）

1．作業概要
　硫安及び塩安の粉末を，それぞれ水2mℓに溶かし，硫安液には塩化バリウム液，塩安液には硝酸銀溶液を加え，硫酸及び塩素を検出する。

2．作業準備
　器工具等
　　・試験管（8本）　・試験管立て（2基）　・上皿天秤1台（0.1gまで計量可能なもの）　・1％硝酸
　　・5％塩化バリウム　・1％硝酸銀

3．作業工程
作業手順を理解してから課題に取り組む。
(1) 硫安，塩安，未知肥料を入れる。

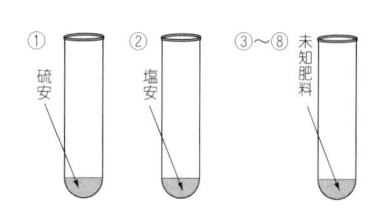

(2) 水，1％硝酸を入れる。

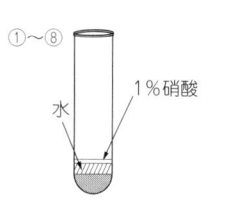

(3) 5％塩化バリウム又は1％硝酸銀を入れる。

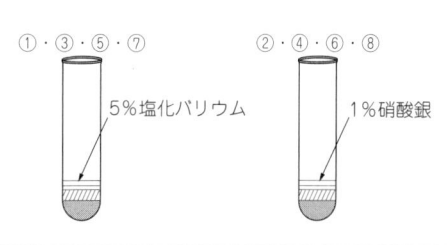

実　習	関連知識
1．試験管の準備 (1) 試験管に硫安，塩安，未知肥料を2本一組とし，それぞれ0.5gずつ入れる。 ①　　　②　　　③〜⑧ 硫安　　塩安　　未知肥料 (2) 水10mℓを加えてよく溶かす。 (3) それぞれの試験管に1％硝酸を数滴加える。 ①〜⑧ 1％硝酸 水 (4) 硫安液には5％塩化バリウム液，塩安液には1％硝酸銀溶液を数滴入れる。 ①　　　　　　　② 5％塩化バリウム　1％硝酸銀 (5) 未知肥料6本のうち③，⑤，⑦には5％塩化バリウム液，④，⑥，⑧には1％硝酸銀溶液を数滴加える。 ③・⑤・⑦　　　④・⑥・⑧ 5％塩化バリウム　1％硝酸銀	[安全] 試験管に，傷や割れがないか確認する。 薬品を使用したら手を洗う。 ・試験管に入れる溶液の量は，実験で使用する材料がすべて入った状態で約1/5までとする。 ・有機質肥料及び化成肥料には硫酸及び塩素が含まれていることが多い。土が酸性であったり，硫酸や塩素が含まれたりする土に，これらを避けることが大切である。特に水田や果樹などでは注意する。 ・硫安に塩化バリウム液を加えると硫酸バリウムに，塩安に硝酸銀を加えると塩化銀の白いにごりができる。土中に硫酸イオン，塩素イオンがあると，土の酸度を下げ酸性化する基になる。 ・有機質肥料（骨粉，魚肥など）には，加工する途中で硫酸や塩素が大量に入り込むことがある。 ・それぞれの反応を見る。 ・一度に反応を見ないで，1本ずつ注意深く観察する。特に魚肥，骨粉，油かすのような肥料には，硫酸や塩素が含まれていることがある。

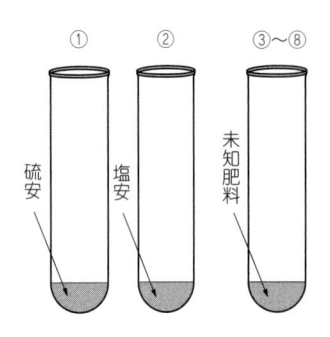

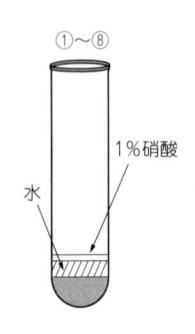

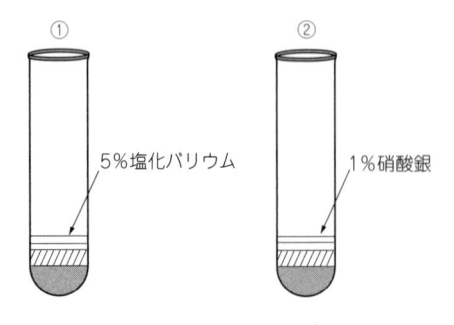

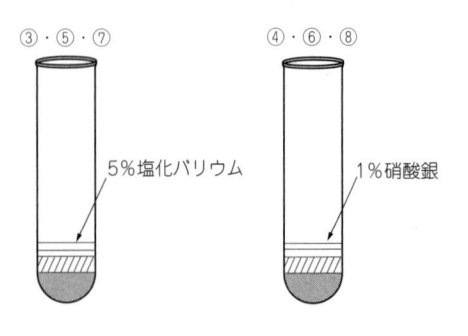

実　　習	関連知識
2．結果 (1) ①と③，⑤，⑦を比較する。 (2) ②と④，⑥，⑧を比較する。 3．後始末 (1) ビーカーなどを水でよく洗う。 (2) 実習で使用した器工具等を返却する。 (3) 作業台の上や周りの整理整とんをする。	・時間が経つと硫酸バリウムは下に沈殿し，塩化銀は黒く変色するのですばやく観察すること。

第5節 施　　肥

　樹木や草花の発芽には肥料を必要としない。しかし，発芽したあと枝葉が成長し開花，結実するには肥料が不可欠で，それぞれの時期に要求する要素と量が異なる。また，要素の不足が見えてから施肥するのではいかに速効性の肥料であっても遅すぎるので注意を要する。

5.1　施肥時期

　植物の成長とともに，必要な肥料の量と施肥時期をあらかじめ計画し，植物が最も吸収しやすい形の肥料を植物が要求する前に施しておく必要がある。植物のほとんどは図3－5のようにして成長し，植物の成長ステージとともに要求する要素が少しずつ変化する。

　例えば，畑や水田で栽培する植物では，実，葉，根などを収穫するので肥料の要求量が多い

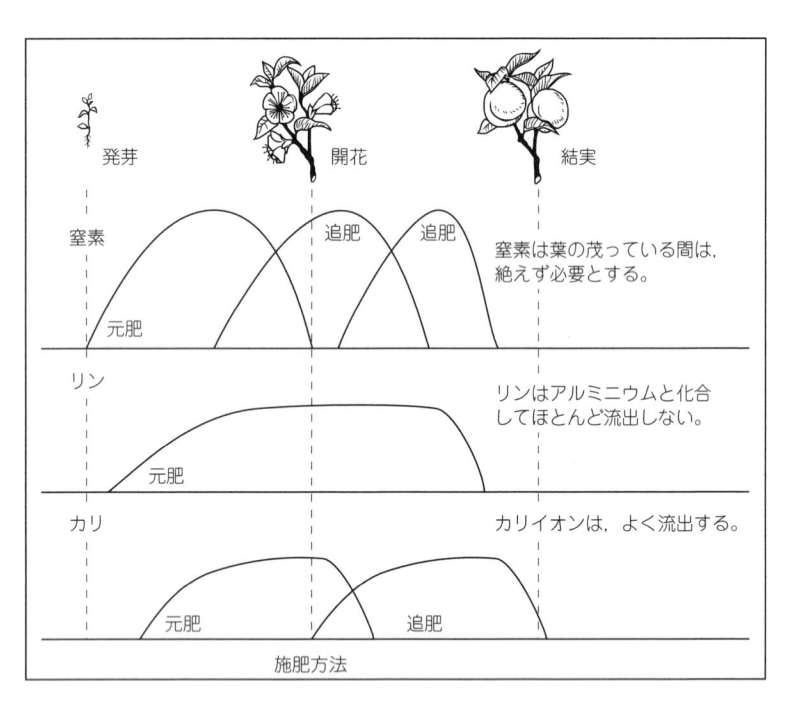

図3－5　施肥時期例

が，庭木や庭園の草花では収穫することがないので要求量が少ない。しかし，どの植物でも要素が欠乏すると，成長が遅れたり，枯死したりするので，絶えず肥料を必要量だけ与えなければならない。

　施肥には元肥と追肥の2種類がある。元肥は播種（はしゅ）や苗を植える前に，あらかじめ土中に施す肥料で，その多くは遅効性，緩効性である。一般には，有機質肥料や緩効性の窒素を主にした化成肥料などが使用されている。

　図3－6の①～④は，どれも元肥の施し方で，①，②のように，土とよく混ざり合うような全層施肥と，発芽したり苗を植えたりするとき，根が届くところに肥料を施す方法とがある。

　植物の種子には植物を発芽させるための要素は含まれているが，成長させるための要素はほとんど含まれていない。

　そこで，元肥が働き，生育の初期に必要な要素を与え，イネやムギであれば分けつ*を促す。元肥としての窒素やカリは，緩効性の形でほとんどの量を施すが，リン酸は水に溶けにく

---

*　分けつ：イネやムギは，成長するとき枝分かれしないで根からすぐ茎ができ，数本から数十本集まって株をつくる。その茎が分かれて株をつくる状態をいう。

いので全量を元肥として施す方法が普通である。

追肥とは，主に窒素とカリを成長の途中に施すことであるが，リン酸の一部や，不足している微量要素を与えることもある。また追肥は，硫安，塩化カリなど単性肥料を与えることが多い。

(1) 元肥の種類

a．化成肥料

化成肥料には，リン安系化成肥料，尿素系化成肥料，肥効調節型被覆肥料などがある。

b．有機質肥料

有機質肥料には，油かす，骨粉，鶏ふんなどがある。

(2) 追肥の種類 〈例：イネの場合〉

a．活着肥

活着肥は，移植されたイネの根が切れていて，一時的に生育が遅れているときに，発根を促すための肥料であり，速効性のアンモニアを施す。

b．分けつ肥

分けつ肥は，田植えをして20日過ぎに施される肥料で，分けつを盛んにし，穂のできる茎をつくるのが目的であり，速効性の窒素質肥料を施す。

c．穂肥（ほごえ）

穂肥は，イネの穂が形成される（幼穂形成期）20日前ごろに施す肥料で，速効性の窒素，カリを施すことで穂の数が多くなり，品質のよい米が収穫できる。

d．実肥（みごえ）

実肥は，穂肥とも考えられるが，穂肥より米の1粒当たりの重さが増す。また，速効性の窒素質肥料を施す。

5.2 施肥の方法

施肥の方法は，植物の種類，気象，土の状態によって異なる。

図3−6〜12は，畑，水田，鉢植え，庭木の代表的な例である。

図3−6の①，②のように野菜などに施す方法は，全層施肥がよく行われ，降水量の多い地方や，湿気を好む植物には①，根菜類[*]には②のような方法が行われる。

また，図3−6の③は，一般的な元肥の施し方で，④は石灰窒素などの施肥方法である。

畑，果樹，樹木は，水田よりはるかに通気がよいのでアンモニア態窒素は，硝化菌の働きで硝酸に変化しやすい。さらに畑作物や樹木は，アンモニア態より硝酸態窒素を好んで吸収するが，硝酸態窒素は陰電荷を持ち粘土に保持されにくいため，アンモニア態より雨水によって流出しやすい。

＊ 根菜類：ダイコン，ニンジン，ゴボウなど。

78　土・肥料及び作業法

①

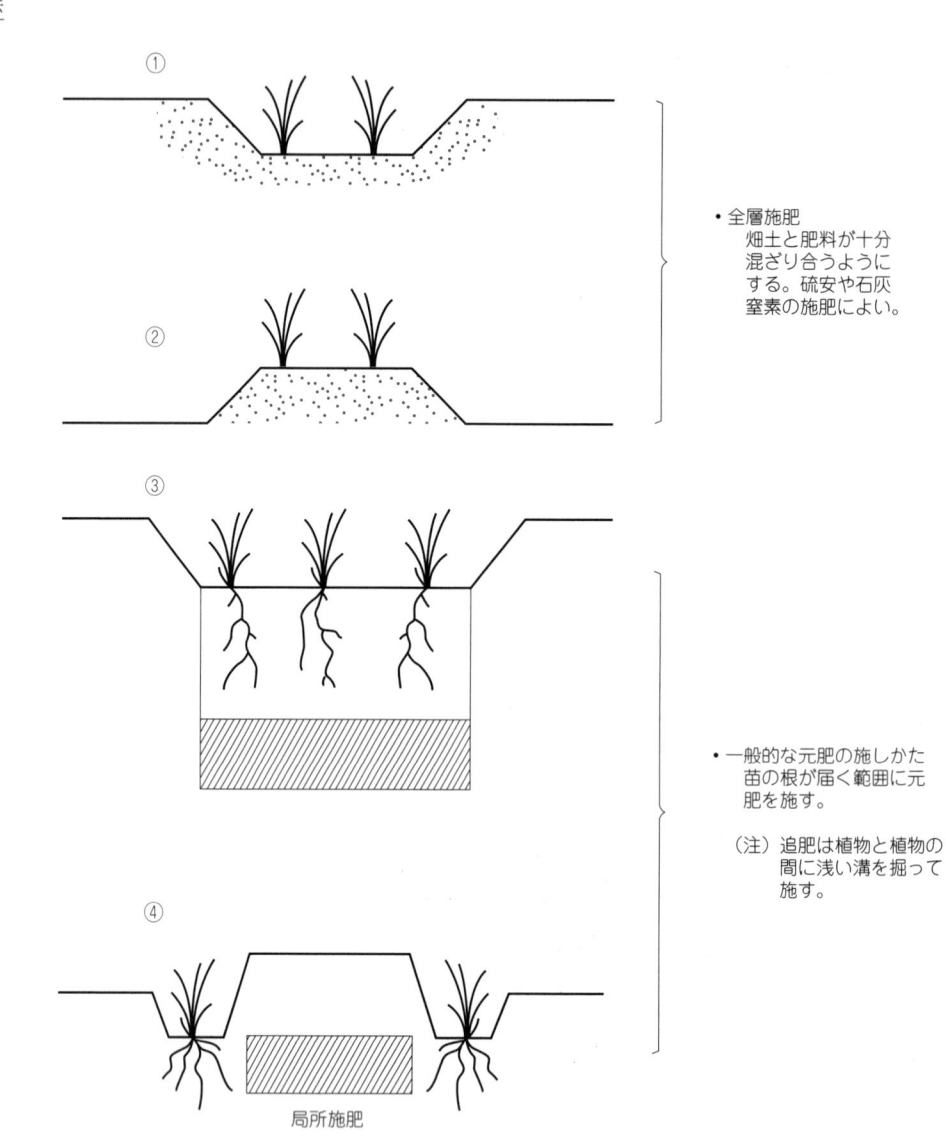

②

③

④
局所施肥

・全層施肥
　畑土と肥料が十分
　混ざり合うように
　する。硫安や石灰
　窒素の施肥によい。

・一般的な元肥の施しかた
　苗の根が届く範囲に元
　肥を施す。

（注）追肥は植物と植物の
　　　間に浅い溝を掘って
　　　施す。

図3－6　畑の施肥方法

　また，温室などの施設内では，硝酸態窒素の集積により塩類蓄積[*1]やガス障害[*2]が起こりやすい。

　わが国の畑や果樹園では硫安のように酸を含んだ窒素質化学肥料を施すと土が酸性になりやすいので注意する必要がある。

　図3－7は，水田での元肥，追肥の状態で，元肥は，水田に水を入れた代かき[*3]時に，緩効性の化成肥料などを入れ，土中にかき混ぜる。また，水田の追肥は，酸化層上にばらまく。

＜水田と窒素質肥料＞

　水田には，ほとんどの場合アンモニア態窒素を施す。その理由は硝酸態窒素は水によく溶け，流出し

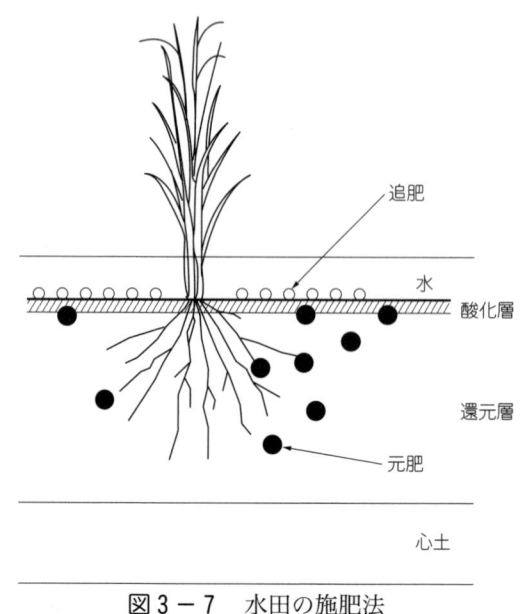

追肥
水
酸化層
還元層
元肥
心土

図3－7　水田の施肥法

[*1]　塩類蓄積：土中の養分の濃度が高くなり根が養分を吸収しなくなる。
[*2]　ガス障害：温室内などで塩類の濃度が高くなると，アンモニアや酸化窒素の気体ができ，茎や葉を枯らしてしまう。
[*3]　代かき：田植えをする直前に水田を平らにならすこと。

やすいからである。

　アンモニア態窒素を，表層にだけ施すと酸化して硝酸に変化し，下層に達すると再び還元されて，脱室現象を起こし，気体の窒素となって空気中に逃げてしまう。そのため水田では，アンモニア態窒素質肥料を全層施肥[*1]して，アンモニウム性窒素の形で下層に入れておくことが行われている（図3-8）。

　また，硫安のように，イオウを含む窒素質肥料を水田に施すと，地温が上昇するとともに，微生物の作用で硫化水素が発生する。健全な水田では，土中やイネの根に付着している鉄によって無害な硫化鉄となるが（図3-9），鉄の乏しい**老朽化水田**[*2]や有機物の多い水田では，硫化水素が根の活動を抑えて秋落ち[*3]現象を起こす（図3-10）。このため，水田では無硫酸根肥料を施すことが進められている。

　最近では，合成樹脂などの非常に薄い膜で外側を覆った緩効性肥料が研究され，省力的で能率の上がる技術が進歩してきている。

　図3-11の①は，ランなどの鉢植えの施肥方法で，水ごけ，ピートモスなど水はけがよく，保水性のあるものを使用する。肥料には三要素入り液体肥料が使用され，生育のよくないときに油かすを用いることもある。

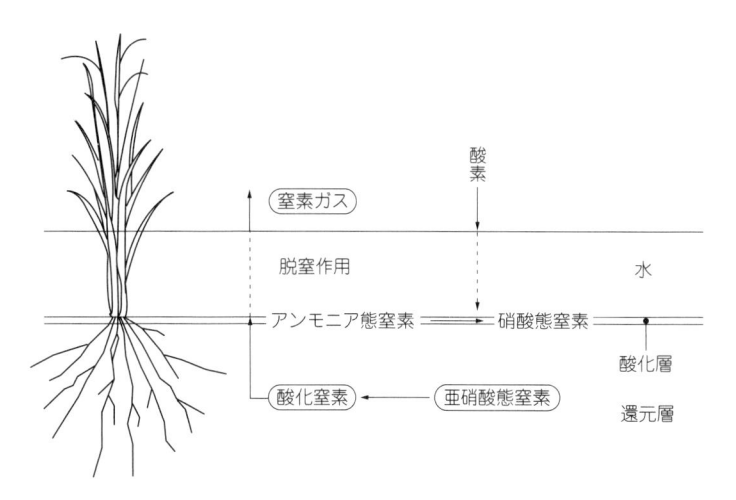

図3-8　水田の窒素

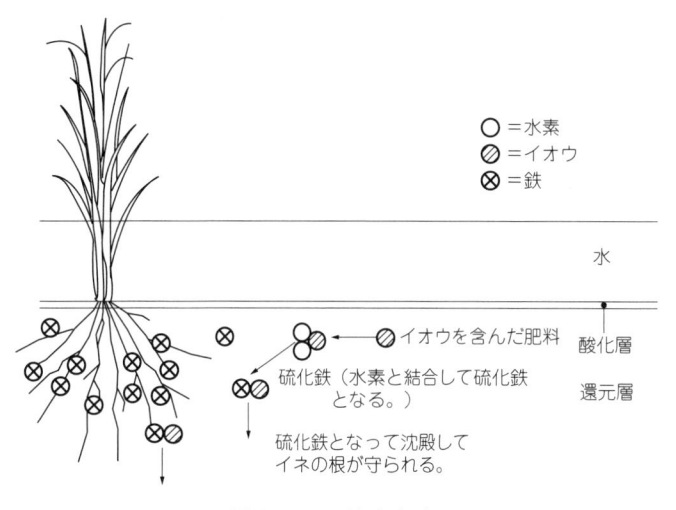

図3-9　健全な水田

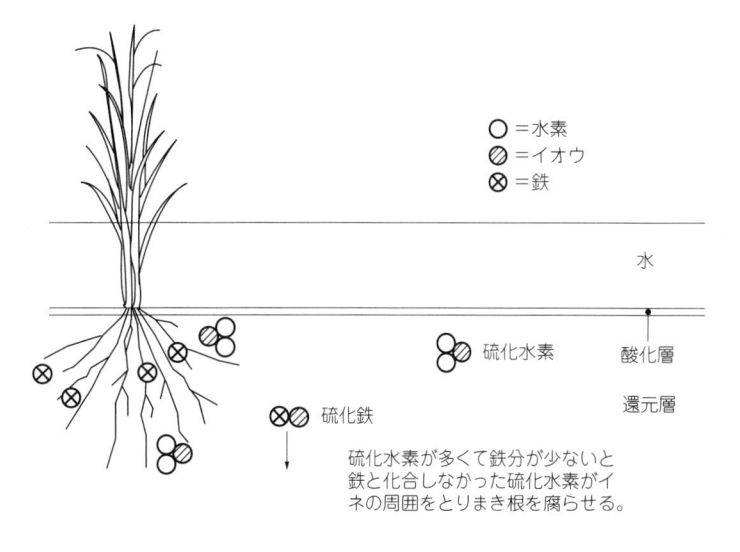

図3-10　老朽化水田

[*1] 全層施肥：水田の酸化層，還元層，畑の溶脱層，集積層の全体に肥料を施し，耕して土と肥料を混ぜ合わせる方法。
[*2] 老朽化水田：イネの栄養不足を起こさせる水田で，特に鉄分の不足が大きい。
[*3] 秋落ち：田植えから開花期ころまでは，普通の水田のイネと変わりないが，穂ができるころから急に勢いが衰える。

図3-11の②はクンシランの鉢植えの施肥方法で，川砂，軽石，赤玉土を混ぜ合わせた通気性と水はけのよい土をつめ，肥料には油かす，骨粉など遅効性肥料か観葉植物用の固型肥料を施す。

図3-11の③は，ベゴニア，ガーベラ，ゼラニュームなど，普通の鉢植えで行われている方法で，水はけのよい土に，緩効性肥料を混ぜ合わせて施す。また，花を観賞する植物にはリン酸，葉を育てたい植物には窒素質肥料を施す。

図3-11の④は，盆栽，ゴム，ベンジャミンなどの施肥方法で，水はけのよい土に油かす，骨粉などを主にした緩効性肥料を施す。腐植質の肥料は，伸びすぎることがあるので注意する。

図3-11の⑤の大型の鉢では，水はけが悪くなるので，鉢底には軽石，発泡スチロールなどを厚くし，水はけがよく，軽い土をつめる。寄せ植えなどには，緩効性肥料を土に混ぜ合わせ，隅々に行きわたるように注意する。

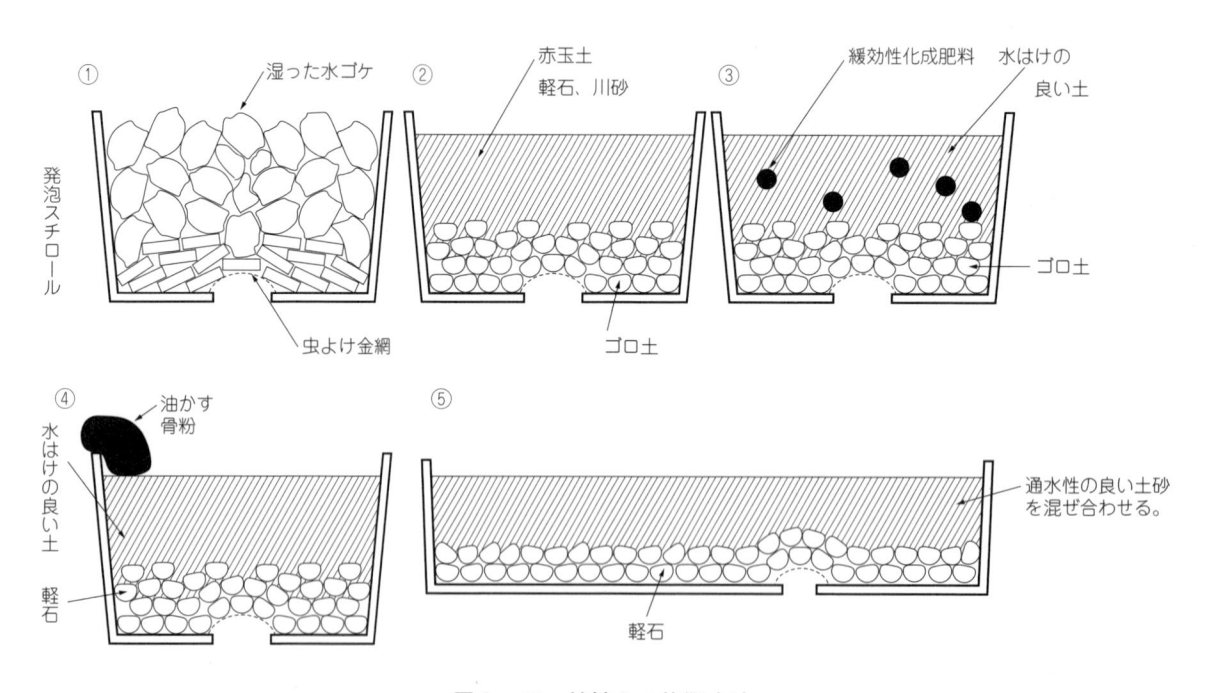

図3-11　鉢植えの施肥方法

図3-12の①のように，養分を吸収する樹木の根毛は，地下5〜20cmのところで，木の枝の先端下に多く集まっている。したがって，施すときは，浅く枝の先端にあたるところへ施すようにする。

図3-12の②は，樹木の根元から枝の先端の下まで円形に施す方法で，緩効性肥料を薄く広く施す。

図3-12の③は，樹木の根元より枝の先端の下まで放射状に5〜10cmの溝を掘り緩効性肥料を施して埋める。掘るときには，根毛を傷つけないよう十分に注意する。

図3-12の④は，枝の先端の下を円形に5〜10cmの深さの溝を掘り，緩効性肥料を施し埋める方法である。この方法も，③と同じように，根毛を傷つけないように注意する。

① 根毛の位置

② 樹木の下にむらのないように施す。

③ 放射状に施し埋める。

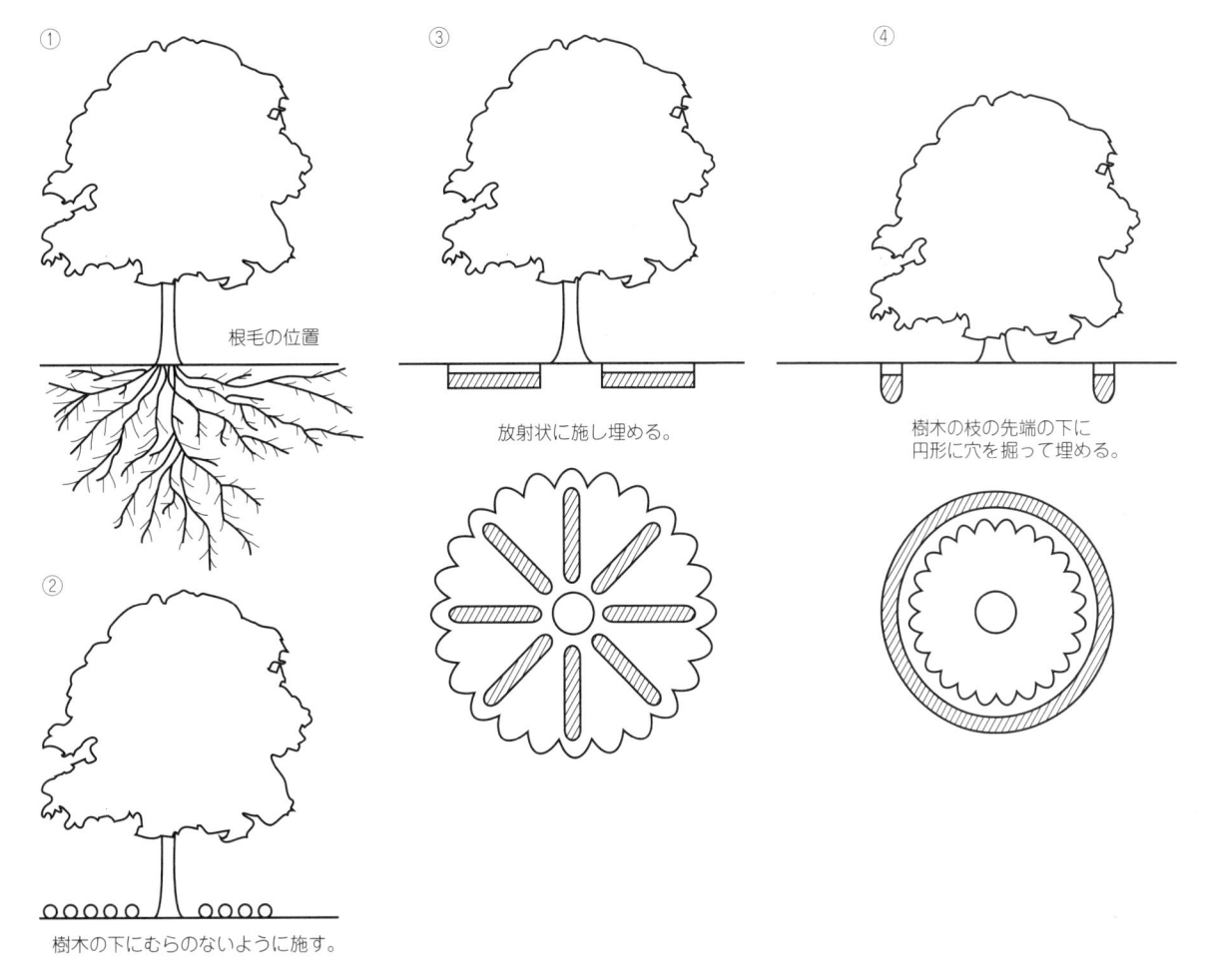

④ 樹木の枝の先端の下に円形に穴を掘って埋める。

図3-12 庭木の施肥方法

いろいろな施肥方法

寒肥（かんごえ）

樹木や宿根草が休眠している冬季に施す肥料で、元肥の一種である。

植物の周囲、少し離れた場所に穴や溝を掘って、遅効性の肥料を施す。新芽の時季まで効果が持続する。

元肥（もとごえ）

苗の植付けや植替えなどの際に、あらかじめ土に混ぜたり、埋めておく肥料である。

遅効性の肥料を2、3週間前に混ぜたり、埋めておく。緩効性の肥料なら植付け直前でもいいが、植付けなど植物にとってストレスのかかる時期であり、遅効性の肥料のほうが好ましい。種まき時には元肥を施さず、本葉が2、3枚になってから速効性の肥料をまくのが一般的である。

芽出し肥（めだしごえ）

球根や木などに対して新芽の時期に施す肥料で、速効性の肥料を使う。

追肥（ついひ）

元肥の効きめがなくなって以降に、追加して施す肥料のこと。

御礼肥（おれいごえ）

花が咲き終わった後や実を収穫した直後に弱った植物を回復させるために施す肥料。速効性の肥料を使用する。

訓練課題名	花鉢，庭園，樹木への施肥方法	材　料
		・緩効性肥料（粉状，顆粒状，たどん状） ・有機質肥料（油かす，腐葉土）

1．作業概要
花鉢，庭園，樹木に肥料を施す。

2．作業準備
器工具等
　・緩効性化成肥料（鉢物には，リン酸，カリの多い肥料，樹木には，三要素が含まれている肥料）
　・手袋　・スコップ　・巻き尺

3．作業工程
作業手順を理解してから課題に取り組む。
(1) 肥料をまく。

(2) 混ぜる

実　　習	関連知識
1．鉢物の施肥 (1) 全層に肥料を混ぜる方法 　　　(a) 肥料をまく。　　(b) 混ぜる。 (2) 肥料の固まりを埋める方法 (3) 盆栽など鉢の縁にくっつける方法 (4) 有機質肥料を施す方法 　有機質は十分発酵していないものが多いので，土中に深く埋める。	・草花は，根全体で養分を吸収するものが多い。 ・表面にまんべんなくまく。 ・肥料を与えすぎないように，少なめに施す。 ・肥料はすでに学んだように，土の中で微生物，pH，酸，地温によって分解し植物に吸収される。また，養分が多すぎると吸収されにくい。したがって，少なめに数回に分けて施すことが大切である。 ・手又はスコップで鉢の底の方から混ぜる。 ・花卉類によい方法である。 ・油かす，骨粉などの遅効性肥料や，たどん状の緩効性化成肥料を施す。

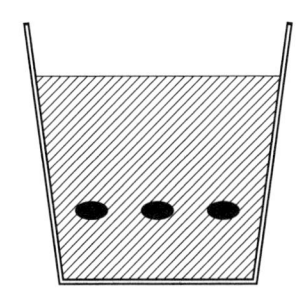

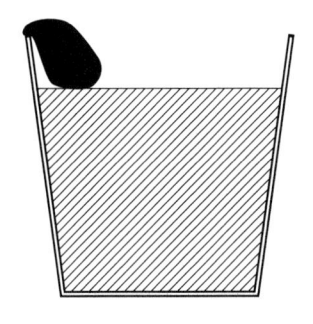

実 習	関連知識
2．樹木への施肥 (1) ばらまく方法	・樹木は，地表近くと枝葉の先端の下に根毛が集まっている。 ・樹木の健康を目的とする場合の方法。 ・三要素が同量含まれている緩効性化成肥料をまく。 ・土と肥料を混ぜ合わせる。 ・薄く均等にばらまく。
(2) 集中的にまく方法 円状　　　　放射状	・果樹や花を多くつけることを目的とする場合の方法。 ・根毛のそばに，集中的に粒状の化成肥料を施す。 ・根毛に触れないよう5～10cm離して施す。
3．後始末 (1) 実習で使用した器工具等を返却する。 (2) 残り肥料をしっかりと密封し保管する。	

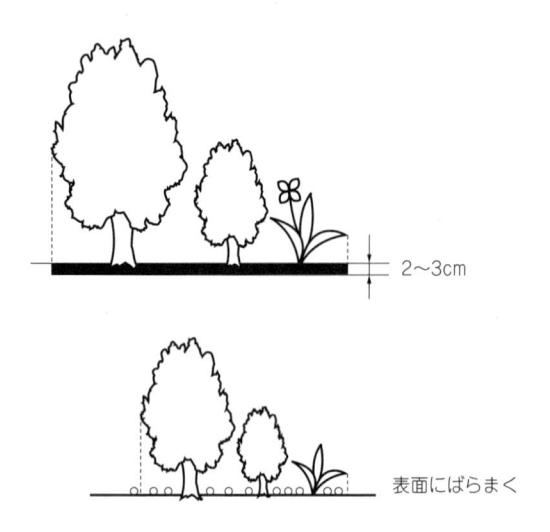

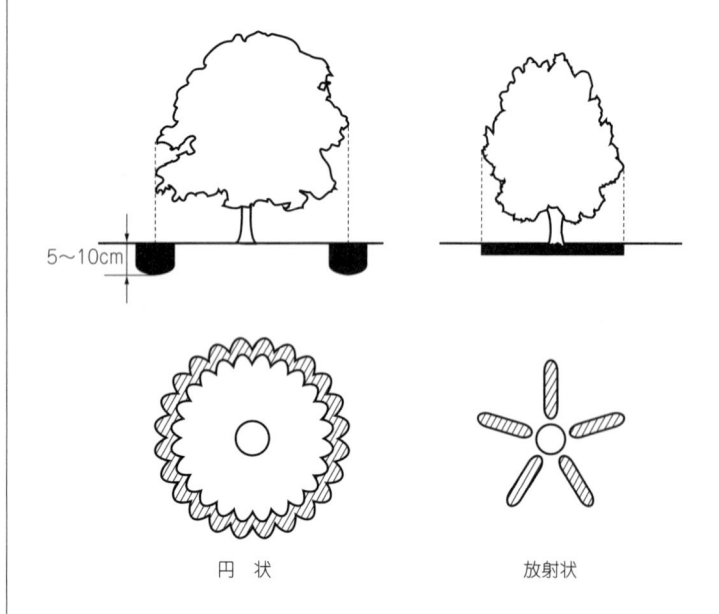

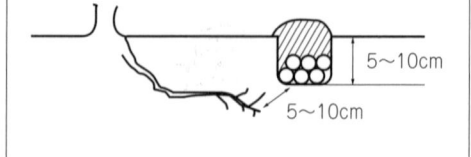

---- **学習のまとめ** ----

・肥料を施す理由を理解する。

・養分律から日照量や降水量の過不足が，他の肥料や作業では補うことができない理由を理解する。

・窒素，リン酸，カリがなぜ三要素といわれるのか，その理由を理解する。

・腐植の重要性を理解する。

・化学肥料の副成分について知る。

・化学肥料と有機質肥料を比較して，大きく異なる点を理解する。

・省力化が進み，複合肥料が多く使用されているが，その特長と欠点を理解する。

・化学肥料と有機質肥料を併せて使用する理由を理解する。

第4章

実 習

1. たい肥づくり
2. 配合肥料
3. 森林に学ぶ
    (1) 土着菌培養
    (2) 刈草たい肥のマルチング
4. 安全衛生作業

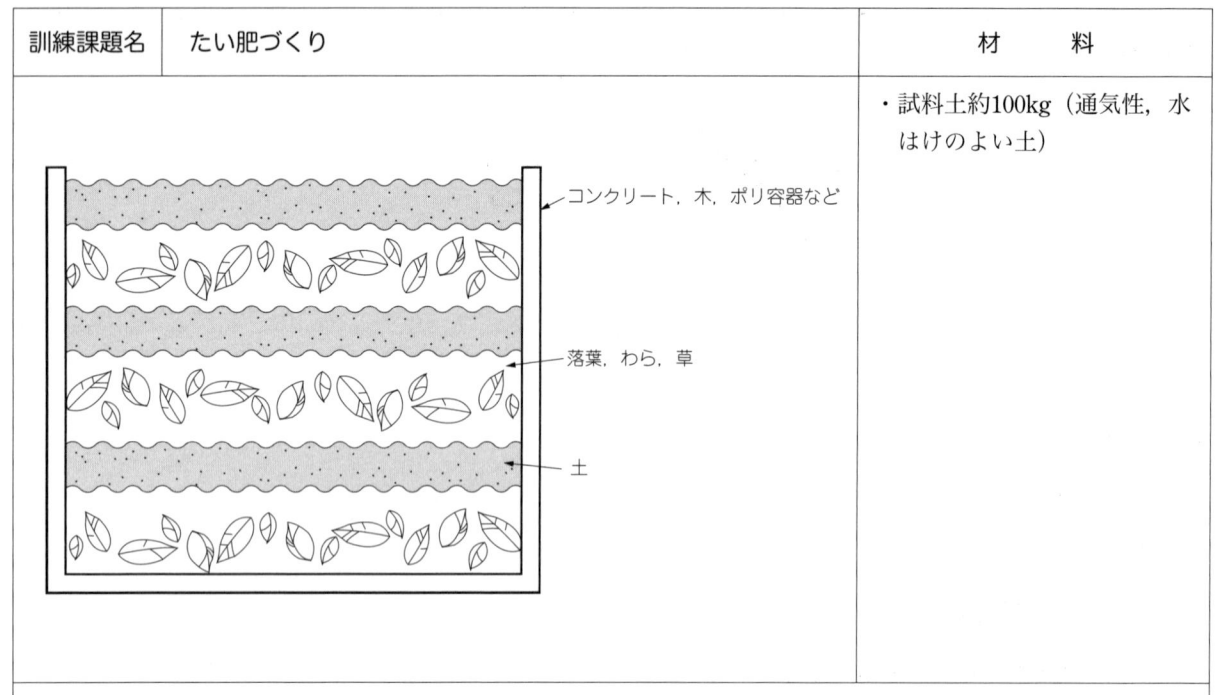

訓練課題名	たい肥づくり	材　　料
		・試料土約100kg（通気性，水はけのよい土）

（図：容器の断面図　コンクリート，木，ポリ容器など／落葉，わら，草／土）

1．作業概要
わら，雑草，落葉などを集め，消石灰や石灰窒素を混ぜ，さらに土をかぶせてたい肥をつくる。

2．作業準備
器工具等
　・容器（材料によって，コンクリート，木枠，ポリ容器の大きさを定める）　・わら，雑草，落葉（約100kgを例にする）　・消石灰（5kg）又は石灰窒素（1.5kg）　・水　・手袋　・ガーデンフォーク

3．作業工程
作業手順を理解してから課題に取り組む。
(1) 材料の準備（図(a)）
(2) 材料を容器に入れ足で踏みつける（図(b)）。

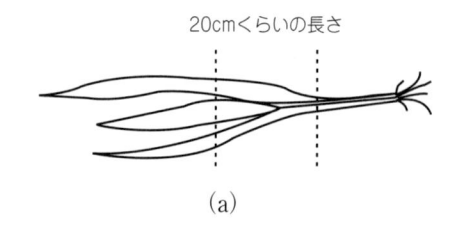

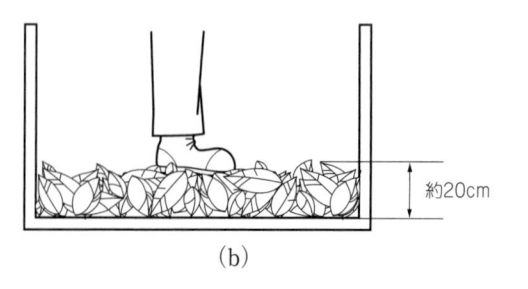

（図(a)：20cmくらいの長さ）
（図(b)：約20cm）

(3) 土をかぶせる。（図(c)）

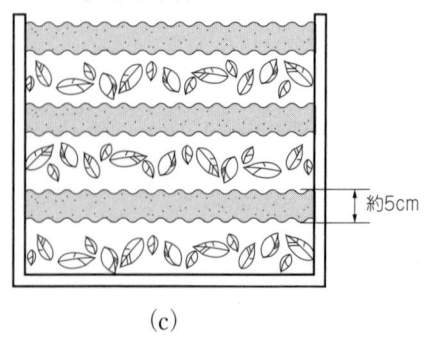

（図(c)：約5cm）

実　　習	関連知識
1．材料の準備 （1）わら，雑草の長さを整える。 　　　　20cmくらいの長さ （2）石灰乳をつくる。 （3）石灰窒素液をつくる。 　　必ず窒素質肥料（硫安，塩安，硝安を混合する）を入れる。 2．材料を入れる。 （1）容器の中に，わら，雑草，落葉などを入れる。 （2）石灰乳又は石灰窒素をふりまいて，踏みつける（石灰乳10に対して石灰窒素1の割合）。 　　　　　　　　　　約20cm 3．土をかぶせる。 （1）踏みつけた材料の上に土をかぶせる。 （2）材料と土を繰り返し積む。 　　　　　　　　　　約5cm （3）全部積み終ったら，一番上には土を厚めにかぶせるか，ビニールをかぶせ，ふたをする。 4．たい肥を確認する。 5．後始末 （1）実習で使用した器工具等を返却する。 （2）作業場や周りをかたづける。	・わら，雑草など長いものは，20cmくらいに切り，水を注いで十分湿らせる。 ・石灰乳は，消石灰5kgに対して約100ℓの水で溶かす。 ・石灰窒素液は，石灰窒素1kgに対して10ℓの水で溶かす。 『消石灰を入れる理由』 　消石灰は，炭酸石灰に変化するとき，中性化するため。 『石灰窒素や速効性窒素質肥料を入れる理由』 　たい肥は，微生物の働きでつくられるが，微生物の細胞は窒素を主にしたタンパク質からできている。したがって，窒素質肥料を与えて微生物を増やすため。 ・わら，雑草，落葉の厚さは，踏み固めて約20cmとする。 ・石灰乳や石灰窒素をふりまく量は，材料を手で握って水がしたたり落ちるくらい。 ・土は通気性，水通しのよいものを使用する。 ・土は厚さ約5cmとする。 ・土の層は踏みつけない。 ・土と材料を何段に積むか，あらかじめ決めておく。 ・たい肥は，2～10か月で使用できるが，その間，温度の変化を測定して，熟成の進み具合を観察する（温度の変化がない場合は，たい肥になっていない）。 ・手ですぐちぎれるようであれば完成している。 ・使用するときは，全体をよく混ぜる。 ・完全に分解していないたい肥を，鉢や畑に施すと炭水化物が多くなり，微生物が増えるので，窒素不足になる。

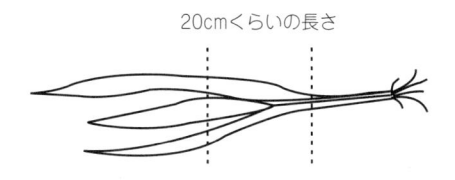

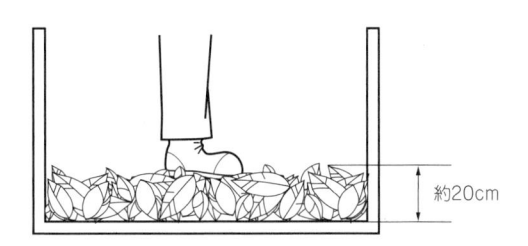

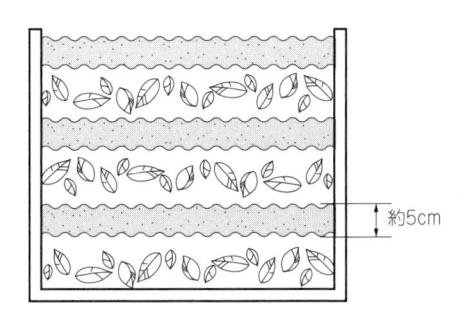

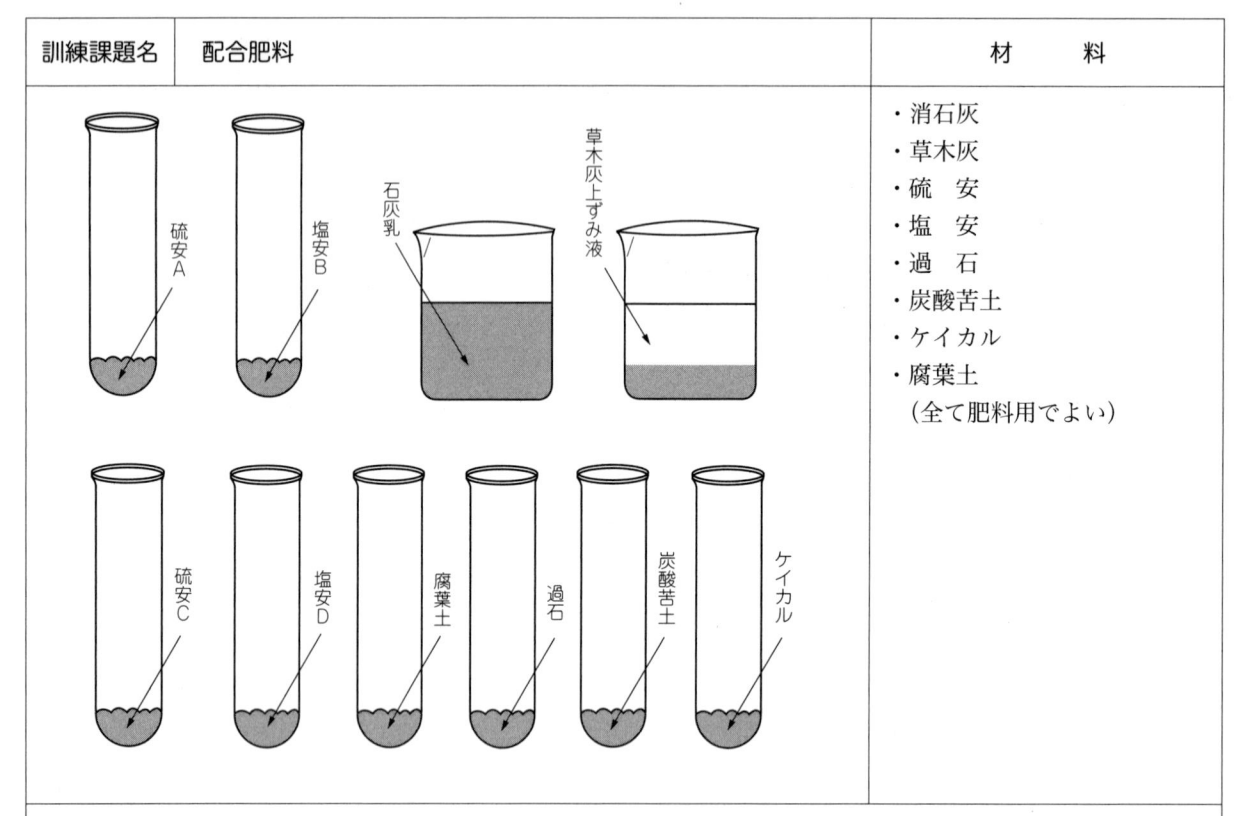

訓練課題名	配合肥料	材　料
		・消石灰 ・草木灰 ・硫　安 ・塩　安 ・過　石 ・炭酸苦土 ・ケイカル ・腐葉土 　（全て肥料用でよい）

（図：試験管——硫安A、塩安B、ビーカー——石灰乳、草木灰上ずみ液、試験管——硫安C、塩安D、腐葉土、過石、炭酸苦土、ケイカル）

1．作業概要
配合肥料を混ぜ合わせると，肥料としての効果を失うことがあることを確かめる。

2．作業準備
器工具等
・試験管（8本）・試験管立て　・試験管はさみ　・小スプーン（2本）・200mℓビーカー（2個）
・スポイト（2本）

3．作業工程
作業手順を理解してから課題に取り組む。
(1)　石灰乳，草木灰の上ずみ液をつくる。
(2)　試験管に硫安，塩安，腐葉土，過石，炭酸苦土，ケイカルを入れる。
(3)　硫安A，塩安Bに石灰乳を入れる。
(4)　硫安C，塩安Dに草木灰上ずみ液を入れる。
(5)　腐葉土に石灰乳を入れる。
(6)　過石に草木灰上ずみ液を入れる。
(7)　炭酸苦土に水と硫安を溶かしたものを入れる。
(8)　ケイカルに水と塩安を溶かしたものを入れる。
(9)　各工程の中でのアンモニア臭や沈殿物の有無などを表にまとめる。

実　　習	関連知識
1．材料の準備 　(1)　石灰乳をつくる。 　(2)　上ずみ液をつくる。 　　　　石灰乳　　　　　草木灰上ずみ液 　(3)　硫安，塩安を各2本，腐葉土，過石，炭酸苦土，ケイカルをそれぞれ1本用意する。 　(4)　硫安Aと塩安Bに石灰乳を2mℓずつ加えにおいをかぐ。 　　　硫安A　　塩安B　←2mℓずつ加える（スポイト使用）　石灰乳 　(5)　硫安Cと塩安Dに草木灰上ずみ液を2mℓずつ加えてにおいをかぐ。 　　　硫安C　　塩安D　←2mℓずつ加える（スポイト使用）　草木灰上ずみ液	［安全］ 　試験管に傷や割れがないか確認する。 　試験管が熱くなるので，試験管立てを使用する。 　薬品を使用したら手を洗う。 ・石灰乳は，200mℓの水に10gの消石灰を加えてよく混ぜる。 ・上ずみ液は，200mℓの水に10gの草木灰を加えてよく混ぜる。 ・硫安，塩安，過石，炭酸苦土，ケイカルは，小スプーン1杯とする。 ・腐葉土は，ひとつまみとする。 ［安全］ 　ビーカーからそのまま移してもよいが，安全のためスポイトを使用する。 　突沸（突然沸騰状態）に注意する。 　においをかぐときは，手であおぐようにする。 ・1本ずつ加える。 ・硫安，塩安に石灰乳が触れ，アンモニア態窒素の化合物に塩基性肥料を配合すると，アンモニアが気化し沈殿物ができる。 ・アンモニア臭が出て窒素が気化し，硫酸カルシウムや塩化カルシウムができて，カルシウムが水に溶けなくなる。 ・硫安，塩安を草木灰上ずみ液に溶かすと，アンモニアが気化する。 ・沈殿は少ない。 ・アンモニア臭が出て窒素が気化し，そのときできた硫酸カリや塩化カリは水に溶ける。

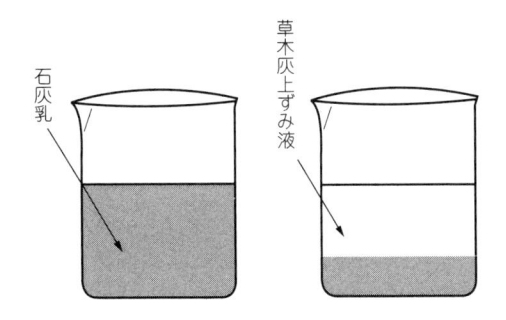

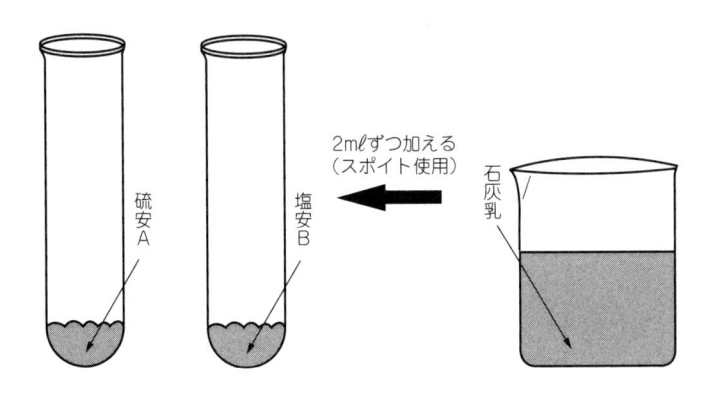

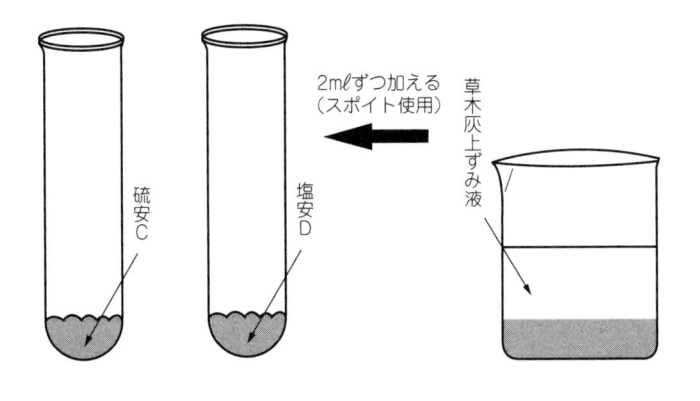

実　習	関連知識
(6)　腐葉土に石灰乳を入れてにおいをかぐ。 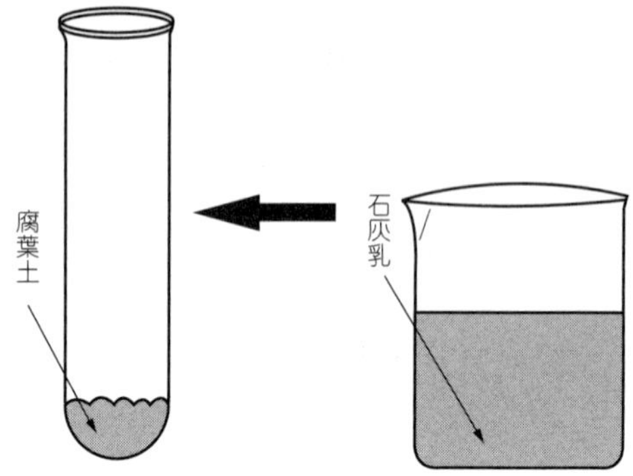 	・腐葉土に石灰乳を混ぜると，微生物によって分解された窒素が，アンモニア化合物に変化し，アンモニアが気化する。 ・腐葉土は，植物の枝葉が分解してタンパク質がアンモニア化合物となっているため，石灰乳が混ざるとアンモニアが気化する。
(7)　過石に草木灰上ずみ液を入れて観察する。 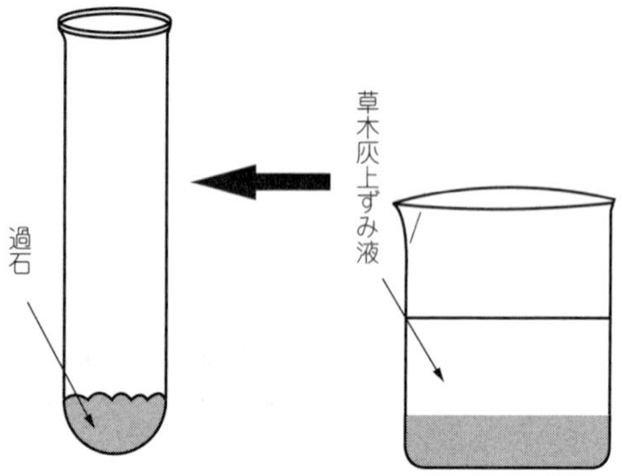 	・過石に草木灰上ずみ液を混ぜるとリン酸三石灰となり，不溶化する。
(8)　炭酸苦土に水２〜３ｍℓと硫安の粉末を小スプーンの半分くらい溶かしたものを入れ，においをかぎ，状態を観察する。 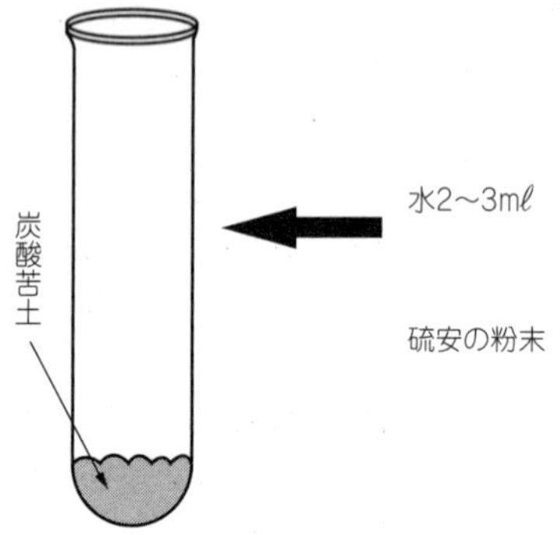 	・炭酸苦土液に硫安を混ぜると，アンモニアが気化し，沈殿物ができる。 ・アンモニアガスが出てにおいがする。
(9)　ケイカルに水２〜３ｍℓと塩安の粉末を小スプーンの半分くらい溶かしたものを入れ，においをかぎ，状態を観察する。 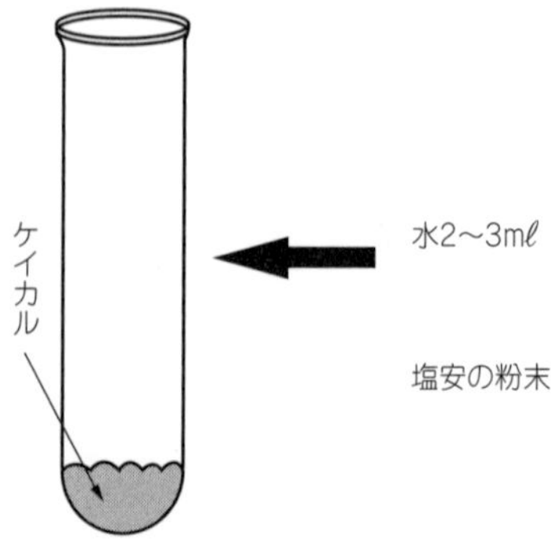 	・ケイカル溶液に塩安を混ぜると，アンモニアが気化し沈殿物ができる。 ・アンモニア臭が出て，窒素が気化する。

実　習	関連知識
2．結　果 (1) 実習で観察したことを表にまとめる。 		アンモニア臭の有無	沈殿物の有無と色など
---	---	---
硫安と石灰乳		
塩安と石灰乳		
硫安と草木灰		
塩安と草木灰		
腐葉土と石灰乳		
過石と草木灰		
炭酸苦土と硫安		
ケイカルと塩安		| 3．後始末 (1) 試験管等を水でよく洗う。 (2) 実習で使用した器工具等を返却する。 (3) 作業台の上や周りの整理整とんをする。	・配合肥料は，化成肥料と同じように2〜3種類の要素を一度に施し，省力化を目的とした肥料である。 ・混ぜ合わせる肥料はいろいろな性質を持っているので注意してつくる。 ・配合肥料は，つくったらできるだけ早く施す。 ・配合肥料をつくるとき，肥料としての効果が少なくなる場合は，次のようなときである。 (1) アンモニア態窒素を含む肥料に，アルカリ性肥料を配合するとアンモニアが気化する。 (2) リン酸質肥料に，アルカリ性肥料を配合するとリン酸が不溶性になる。 (3) 吸湿性の強い肥料と配合すると全体が湿って，流出したり固まってしまう。

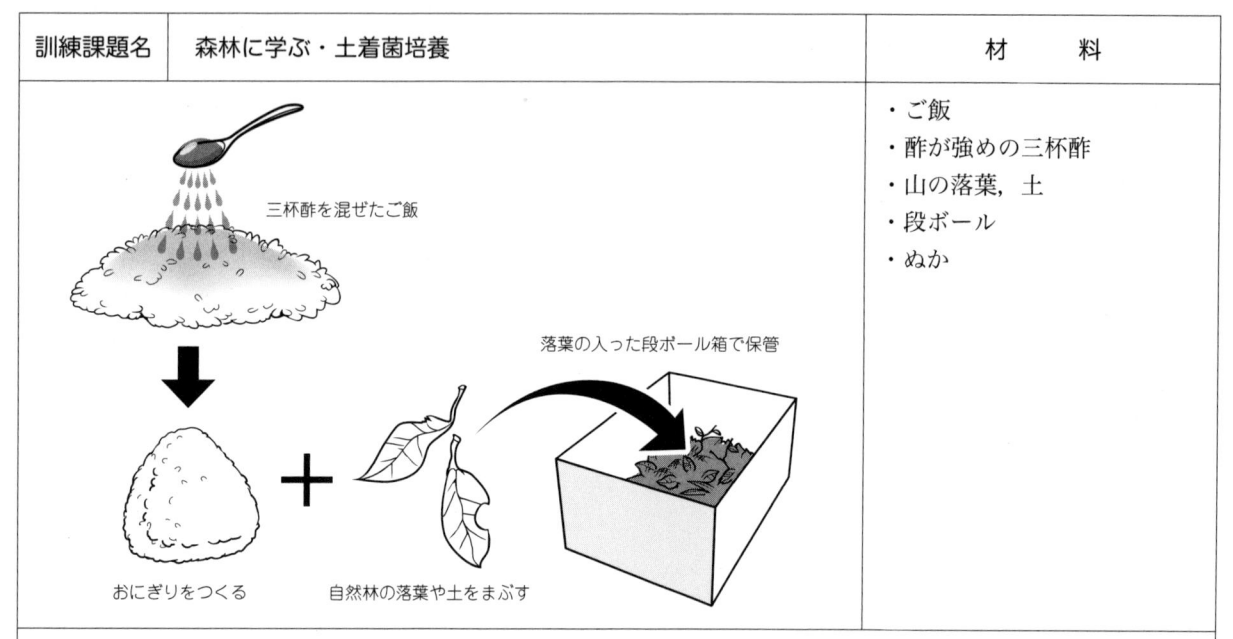

訓練課題名	森林に学ぶ・土着菌培養	材　　料
	(図)	・ご飯 ・酢が強めの三杯酢 ・山の落葉，土 ・段ボール ・ぬか

図中注記：
- 三杯酢を混ぜたご飯
- おにぎりをつくる
- 自然林の落葉や土をまぶす
- 落葉の入った段ボール箱で保管

1．作業概要
生態系の中での目には見えない土壌微生物の果たす役割を麹菌(こうじきん)の発生，落葉の変化から学ぶ。
また麹菌をぼかし肥*のタネ菌として培養，増殖させる方法を学ぶ。

2．作業準備
器工具等
　・酢　・砂糖　・しょうゆ　・ご飯　・自然林の落葉　・自然林の表土　・段ボール　・ぬか

3．作業工程
麹菌は低温に強く，湿度50％くらいの乾燥を好むことから，秋から早春にかけて作業を行う。
(1) 自然林の落葉や表土を集める。
　　落葉は白い菌糸の見えるもの一握り。土の量はおにぎりにまぶす程度とする。
(2) 三杯酢をつくる。
　　酢，砂糖，醤油で三杯酢をつくる。酢は強めでよい。麹菌はpH2.5でも生きられる。
(3) 三杯酢を混ぜたご飯でおにぎりをつくる。
　　おにぎりに落葉や土をまぶす。
(4) 段ボールに入れ保管する。
　　倉庫など薄暗いところで保管し，菌糸が発生するのを待つ。
(5) 菌糸が発生したら米ぬかで培養する。
　　おにぎりをほぐし，米ぬかで培養する。米ぬかは水分50％程度で維持する。

---

* ぼかし肥：油かす，魚かす，米ぬかなどの有機質肥料を発酵させてつくる肥料のこと。山土や粘土などを混ぜ，根の周りに施す。有機物が分解し，窒素分の効きめが早く，また土を混ぜることで肥効が長持ちする。さらに微生物によるアミノ酸やビタミンなども多く，これを根の周りに施すことで，根圏の通気性の改善，根圏微生物相の多様化など，土壌病害を抑える効果も期待できる。ぼかし肥は，土の化学性，物理性，生物性をよくする総合的な肥料といわれる。米ぬかぼかしをつくる際，自然林や竹林の土着菌を入れれば，その地域の有用微生物のぼかし肥ができる。これをタネ菌として，おからや茶がら，貝殻，海藻など，オリジナルブレンドが可能である。

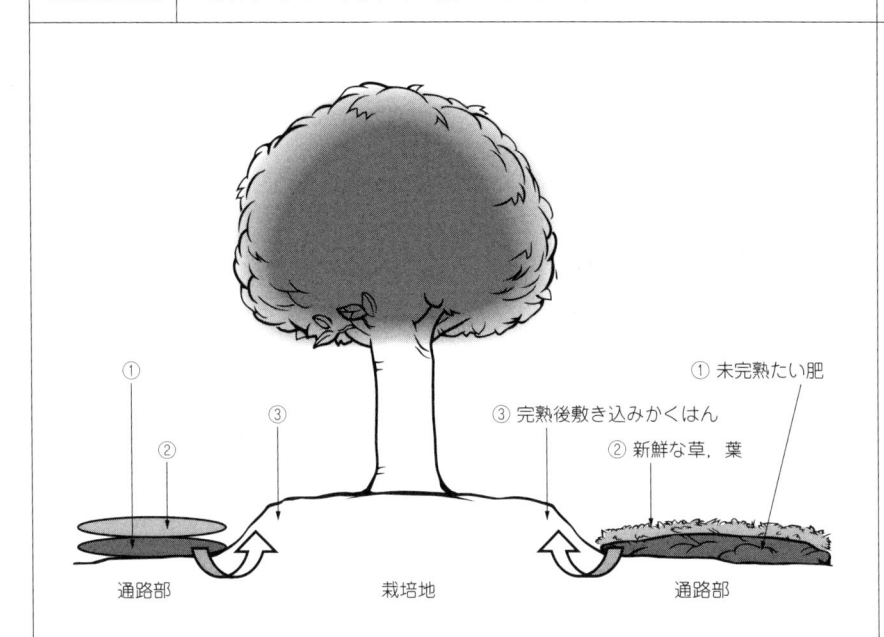

訓練課題名	森林に学ぶ・刈草たい肥のマルチング	材　　料
	（図）	・落葉 ・除草した草葉 ・刈払いした草葉 ・粉砕した剪定枝葉

図中ラベル：
- ① 未完熟たい肥
- ② 新鮮な草，葉
- ③ 完熟後敷き込みかくはん
- 通路部　栽培地　通路部

1．作業概要

完熟たい肥を土にすき込むことだけが土づくりではない。森林の土壌のように土の表面や表層に有機物を施すと，微生物や小動物の働きにより分解し土壌化していく。日常の管理作業を通して自然の土づくりを学ぶ。

2．作業準備

器工具等
・スコップ　・レーキ　・ガーデンフォーク　・熊手　・肩掛け式刈り払い機

3．作業工程

この訓練は草刈，除草，落葉掃きなど，日常の管理作業から出た有機物を用いた長期継続訓練である。

(1) 通路部に落葉や刈払い草葉をマルチングする（厚さ10cm程度）。
　通路部をマルチングすることで雑草の発芽抑制と草葉の腐熟化を進める。
(2) 新たな草葉が発生したら，通路部の既存マルチングの上に新たなマルチングをする。
　2層構造となる。下層は未完熟たい肥層となって土壌となじんでくる。上層は厚さ10cm程度とする。
(3) 通路部のマルチングをめくり，完熟たい肥を栽培地にすき込む。
　春から秋にかけて月に1回程度，通路部のマルチングをはがし，マルチングの下から発芽した草を取り除く。その際，通路部で完熟たい肥になったものは栽培地にスコップやレーキで敷き込む。
(4) 草取り後，再度(1)と同様に通路部をマルチングする。
　大量の草葉や長大な草葉が出てきたときには，まず1箇所に集積し，肩掛け式刈り払い機で裁断してから敷き込む。
(5) 以上を繰り返し継続する。
　これら一連の作業を3年程度継続し，この間の土の変化を観察する。

＜安全衛生作業＞

1．手工具の取扱い

実習で使うスコップやレーキ，ガーデンフォークなどの手工具は，日常の管理が大切である。

① 使用後は清掃（洗い，ふきなど），手入れ（研磨，さび止め，くさび決めなど）を行い，所定の場所に保管する。

② 使用前後には員数の確認をした上で出し入れを行う。不良工具の有無もあわせて確認する。

③ 工具は破損の原因になるので，その用途目的以外には使用しない。

④ 工具はその能力範囲内で使用し，丁寧に取り扱う。規格区分に注意する。

⑤ スコップやガーデンフォークなど先端が刃物のものはけがの原因となるので，周囲や足下に注意して作業すること。

⑥ 手に油が付着していたら工具が滑るので，手を洗い，手袋をするなど滑りにくくすること。

⑦ 運搬時には，刃先で傷ついたり，刃先が欠損することのないよう工具を確実に保持すること。

⑧ 刃物のある工具を他人に渡すときは，柄から手渡し，投げたりしない。

2．化学薬品の取扱い

① 化学薬品や化学肥料の中には他のものとの接触や変化（加熱，摩擦，衝撃など）を加えると化学変化し，人体や環境に悪影響を与えるものもあるので，その品物の取り扱い説明に従うこと。

② 化学薬品の中には長期保存すると変質するものもあるので，必要最小限の量を保管し，使用期限にも注意する。

③ 保管にあたっては，分類，盗難防止，利便性に配慮する。試薬は純度保持に配慮する。

3．火気の取扱い

① 火気を使用する場合は，周辺に引火性の高いものや可燃性ガスがないところで行う。

② 実験，実習で加熱作業を行う場合は，目的にあった専用の耐熱性機器を使用すること。

③ 実験，実習で高熱物を取り扱う場合は，火傷のおそれがあるので，適正な作業服，保護具で行う。

④ 万が一の出火に備えて，消火体制を整えておく。

4．腐植土などの取扱い

① 室内に腐植土や自然土を保管する場合は，土壌中の微生物，雑菌が繁殖し，不衛生にならないよう保管する。

② 腐植土ほか土作業を行った後は，手洗い，うがい，洗顔，着替えなどを行い，保健衛生に努める。

5．実習環境

① 屋内の作業環境は，気積，換気，温熱，採光，照明，騒音などの基礎条件を整えるとともに，作業動線などを配慮した施設配置を行い，整理整とんに努めること。

② 屋外での作業にあたっては，転石，滑落，転落，転倒など危険箇所がないか，事前調査を行い，安全確認を行った上で行う。

6．服装

① 作業服は身体にあった軽快なもので，長袖の上着，長ズボンとする。

② 頭部保護のため作業帽を着用し，履物は作業に適した安全なものを選ぶ。

③ 保護帽，防塵（ぼうじん）めがねなどが必要な場合は，その作業に適した保護具を選び，その使用上の注意に従い使用する。

7．作業の進め方

① 作業目的，内容を説明する。その際，安全管理上の留意点にも触れておく。

② 使用する道具，材料の説明とともに，その取扱い上の留意事項を模擬作業などで明確に伝える。

③ 作業内容・人員に応じた作業配置を行い，集中力の保持に配慮した適正な時間配分の上，作業の進行管理を行う。

④ 一時休憩を取る場合，動力源，火元の安全確認を行い，工具の仮かたづけを行う。

⑤ 作業が完了したら，工具，機材をかたづけ，作業成果を評価，反省する。実習や作業で発生したものの処理については，撤去，廃棄の処理，今後の応用作業への展開利用，教材保管など目的に応じた処理を指示する。

⑥ 腐敗とか変質するものは速やかに廃棄又は保管処理する。また，環境上，人体上悪影響を与える物質の廃棄に関しては所管の監督署（保健所他）の指導を受け，処理すること。

学習のまとめ

・たい肥のつくり方などを知る。
・配合肥料を混ぜ合わせると，肥料としての効果を失うことがあることを理解する。

〔参考〕

＜元素記号と化学式＞

名　称	元素記号・分子式	名　称	元素記号・分子式
亜鉛	Zn	石灰	CaO
亜硝酸	HNO_2	石こう	$CaSO_4$
アルミナ	Al_2O_3	炭酸	H_2CO_3
アルミニウム	Al	炭酸アンモニウム	$(NH_4)_2CO_3$
アンモニア	NH_3	炭酸カリウム	K_2CO_3
アンモニウム態窒素	NH_4^+-N	炭酸苦土（炭酸マグネシウム）	$MgCO_3$
イオウ	S	炭酸石灰（炭カル）	$CaCO_3$
塩化アンモニウム	NH_4Cl	炭素	C
塩化カリウム	KCl	窒素	N
塩化カルシウム	$CaCl_2$	鉄	Fe
塩化銀	$AgCl$	銅	Cu
塩化バリウム	$BaCl_2$	ナトリウム	Na
塩素	Cl	二酸化炭素	CO_2
カリ	K_2O	ニッケル	Ni
カリウム	K	尿素	CH_4N_2O
カルシウム	Ca	ホウ素	B
カルシウムシアナミド	$CaCN_2$	マグネシウム	Mg
苦土（酸化マグネシウム）	MgO	マンガン	Mn
ケイ酸	SiO_2	水	H_2O
ケイ素	Si	モリブデン	Mo
コバルト	Co	ヨウ素	I
一酸化窒素	NO	硫化水素	H_2S
酸素	O	硫化鉄	FeS
硝酸	HNO_3	硫酸	H_2SO_4
硝酸アンモニウム	NH_4NO_3	硫酸アンモニウム	$(NH_4)_2SO_4$
硝酸銀	$AgNO_3$	硫酸カリ	K_2SO_4
硝酸ソーダ	$NaNO_3$	硫酸カルシウム（石こう）	$CaSO_4$
硝酸態窒素	NO_3^-	硫酸苦土（硫マグ）	$MgSO_4$
消石灰（水酸化カルシウム）	$Ca(OH)_2$	硫酸ナトリウム	Na_2SO_4
水酸化カリウム	KOH	硫酸バリウム	$BaSO_4$
水酸化苦土（水マグ）	$Mg(OH)_2$	リン	P
水酸化ナトリウム	$NaOH$	リン酸	P_2O_5
水素	H		

＜生物体に関する物質の化学式等の例＞

デンプン　　　　　分子式 $(C_6H_{10}O_5)n$　　　　　　　（n は反復の個数）
単糖の異性体　　　組成式 $C_nH_{2n}O_n$
グルコサミン　　　化学式 $C_6H_{13}NO_5$
カルボン酸　　　　カルボン酸構造 $(R-COOH)$　　　（R は炭化水素基，原子団）
アミノ基　　　　　官能基 $(-NH_2, -NHR, -NRR')$　　（R,R' は原子団）
α-アミノ酸　　　　$RCH(NH_2)COOH$

［トリプトファンの構造］

　　　　　　　　　　　　　　　　　ベンゼン（C_6H_6）環

［塩基とデオキシリボース］

Cytosine　Thymine　Uracil　　　Dexyribose

Adenine　Guanine

［ジヌクレオチド］

索 引

あ

ＩＢ肥料	70
赤玉土	31
赤土	31
秋落ち	79
アゾトバクター	7
油かす	60
荒木田土	31
アルミナ	3
アロフェン	4
暗渠	32
アンモニア化	9
アンモニア化成菌	7
アンモニア態窒素	50
イオウ	49
硫黄華	64
ウレアホルム肥料	70
運積土	2
液体カリ	60
ＮＫ肥料	69
塩化アンモニウム	52
塩化カリ	58
塩リン安系化成肥料	68
塩類蓄積	78
塩類蓄積作用	45
黄化症	48
御礼肥	81

か

貝化石肥料	63
回収硫安	52
階段畑	31
カオリン	3
化学合成緩効性肥料	70
化学成分	42
化学的風化	2
花卉	54
可給態	44
拡散作用	45
加工苦汁カリ塩	60
化合水	5
過剰施肥	68
加水雲母類	4
ガス障害	78
化成肥料	66
下層土	3
家畜ふんたい肥	71
褐色森林土	10
褐色低地土	10
活着肥	77
鹿沼土	31
可溶成分	2
可溶性リン酸	55
カリ	48
カリ質肥料	57
過リン酸石灰	56
カルシウム	49
かんがい	31
還元性	44
還元層	43
緩効性	51
緩効性普通肥料	69
寒肥	81
緩衝作用	23,48
乾土効果	44
客土	32
吸湿水	5
凝集力	32
グアニル尿素肥料	70
クチクラ	45
苦土過リン酸	57
苦土石灰	62
苦土肥料	63
苦土リン安系	69
ク溶性	55
黒土	31
黒ボク土	10
ケイ酸カリ	59
ケイ酸質肥料	63
鶏ふん	61
嫌気性菌	8
原生動物	7
元素	42
交換	4
好気性菌	8
孔隙	3
鉱さいケイ酸質肥料	63
酵素	49
公定規格	52
高度化成肥料	67
高分子化合物	32
肥えた土	6
コーテング剤	67
黒泥土	10
固形配合肥料	66
骨粉	61
コロイド	3
混合石灰質肥料	63
混合微量要素肥料	65
根酸	44

さ

細菌	7
最少養分律	46
酸化酵素	49
残積土	2
三要素	48
シアナミド態窒素	51
糸状菌	7
重過リン酸石灰	56
重焼リン肥	57
集積	2
集積層	3
重炭酸カリ	58
収量漸減の法則	47
重力水	5
硝安系化成肥料	67
硝化抑制剤入り化成肥料	70
小孔隙	23
硝酸アンモニウム	53
硝酸作用	9
硝酸石灰	55
硝酸ソーダ	53
硝酸態窒素	51
焼成リン肥	57
消石灰	62
省力	65
侵食防止	31
水耕法	42
水酸化苦土肥料	64
水溶性リン酸	55
水和度	4
生育因子	46
制限因子	46
生石灰	62
全層施肥	79
赤色土	10
石灰窒素	54
石灰窒素系化成肥料	67
石灰質肥料	62
接触交換説	45
ゼオライト	30
選択吸収	45
藻類	7
粗製カリ塩	60
速効性	51

た

大孔隙	24
ダイズ油かす	61
たい肥	71
脱窒	9
脱窒菌	9
脱窒作用	9
多量要素	49
団粒構造	24
炭酸カリ	58
炭酸石灰	62
単性肥料	65
炭素率（C:N比）	6
タンパク態窒素	51
単粒構造	23
地衣類	2
遅効性	56
窒素	48
窒素欠乏現象	6
窒素固定	9
窒素の循環	8
窒素質肥料	50
潮解性	67
追肥	81
土	1,2
低湿地土	10
泥炭土	10
低地土	10
鉄	49
天然の砂	31
天然養分	43
電離	4
銅	49
同化	9
等高線栽培	31
倒伏	48
土壌	2
土層	2
ドベネック	46

な

ナタネ油かす	60
二成分複合化成肥料	69
ニトロフミン酸	59
尿素	54
尿素系化成肥料	67
尿素態窒素	51
尿素硫リン安系化成肥料	68
粘土	3
粘土鉱物	3

は

バークたい肥	71
ハーバー法	52
バーミキュライト	31
パーライト	31
灰色低地土	10
配合肥料	65
培養土	29
バルク・ブレンド肥料	66
必須要素	42
被覆肥料	69
肥料	41
肥料取締法	50,52
微量要素	49
微量要素肥料	64
pH	4
PK肥料	69
ピートモス	31
風化	1
風化生成物	2
不可給態	44
複合肥料	65
副産カリ肥料	60
副産石灰質肥料	63
副成分	51
副成硫安	52
腐植	2,5
腐植層	3
腐植酸アンモニア	55
腐植酸カリ	59
腐植酸リン肥	57
普通化成肥料	66
普通配合肥料	66
普通肥料	50
物理的風化	1
フミン酸	59
腐葉土	31
分けつ	76
分けつ肥	77
分散性	31
ホウ酸塩肥料	64
放線菌	7
穂肥	77

母材	2,3
圃場	27
保水力	5

ま

マグネシウム	49
マルチ栽培	56
マンガン	49
マンガン肥料	64
実肥	77
無機栄養細菌	7
芽出し肥	81
毛管水	5
元肥	76,81
盛り土	32
モリブデン	49
モンモリロナイト	3

や

有機入り化成肥料	67
有機栄養細菌	7
有機質配合肥料	66
有機質肥料	60
有効水	5
溶質	45
容水量	6
容水量測定	25
熔成リン肥	56
溶脱	2
溶脱層	3
葉面吸収	45

ら

裸地	8
リービッヒ	46
硫安系化成肥料	66
硫酸アンモニウム	52
硫酸カリ	58
硫酸苦土	64
硫酸マンガン	64
硫リン安系化成肥料	68
緑肥	71
リン加安系	69
リン酸	48
リン酸質肥料	55
老朽化水田	79

委員一覧

平成10年10月

＜監修委員＞

中野 猛夫　　国土建設学院

＜執筆委員＞

杉田 収　　元東京都立園芸高等学校

（委員名は五十音順，所属は執筆当時のものです）

厚生労働省認定教材	
認 定 番 号	第59061号
認 定 年 月 日	平成10年9月28日
改定承認年月日	平成23年2月9日
訓 練 の 種 類	普通職業訓練
訓 練 課 程 名	普通課程

土・肥料及び作業法　　　　　　　　　　　　　　　　　　　　　　　　　　　　©

平成10年10月31日　初 版 発 行	定価：本体 1,319円 ＋ 税
平成23年 3月25日　改訂版発行	
平成30年 3月25日　3 刷 発 行	

編集者　独立行政法人　高齢・障害・求職者雇用支援機構
　　　　職業能力開発総合大学校　基盤整備センター

発行者　一般財団法人　職業訓練教材研究会

〒162-0052
東京都新宿区戸山1丁目15－10
電　話　03（3203）6235
FAX　　03（3204）4724
http://www.kyouzaiken.or.jp

編者・発行者の許諾なくして本書に関する自習書・解説書若しくはこれに類するものの発行を禁ずる。

ISBN978-4-7863-1120-8